季節で綴るフィレンツェ
202

世界でいちばん美しい街の
愛おしい毎日、とっておきの場所

———

奥村千穂 著

向井真理子 写真

JN074065

はじめに

　フィレンツェは、ミラノやローマとくらべるとずいぶんと小さな街です。でもその歴史はとても長く、街全体がまるでひとつの美術館のように、古い街並みがそのまま残っています。この本では、ここに住んで20年以上になる私たちふたりの目線でとらえたフィレンツェを、そこで暮らす人々の姿、日々の暮らしのシーンを通じて202のエッセイと写真で綴っています。

　文中、「フィレンツェ人」という言葉が登場しますが、これはこの街のアイデンティティを強く持つ住民たちのこと。何世紀にもわたり、この街を愛し、大切にしてきた住民なしには、今のフィレンツェの姿はありえなかったでしょう。普段、なにげなく見ている街角の小さな石碑や通りの名前に、フィレンツェ人たちのさまざまなストーリーが隠されていて、それを知ることで街歩きがさらに楽しくなります。

　四季を通じて行われるさまざまなお祭り、フィレンツェ人が毎年楽しみにしている季節の食べもの、変わらないようでいて少しずつ変化しつつあるライフスタイル。本書ではフィレンツェだけでなく、イタリアという国のなにげない日常についても触れています。

　いつかフィレンツェに行ってみたい方、フィレンツェの街角の空気を感じてみたい方に、この本を手に取って読んでいただけたらうれしいです。

Bologna
ボローニャ

Ravenna
ラヴェンナ

Le Piastre
レ・ピアストレ

Forte dei Marmi
フォルテ・デイ・マルミ

Lucca
ルッカ

プラート Prato

Vicchio
ヴィッキオ

Viareggio
ヴィアレッジョ

フィレンツェ Firenze

Fiesole
フィエーゾレ

Bagno a Ripoli
バーニョ・ア・リーポリ

ピサ Pisa

Empoli
エンポリ

Scandicci
スカンディッチ

Pontedera
ポンテデーラ

Greve in Chianti
グレーヴェ・イン・キャンティ

Livorno
リヴォルノ

Arezzo
アレッツォ

シエナ Siena

Toscana
トスカーナ州

Piombino
ピオンビーノ

Mare Tirreno
ティレニア海

Roma
ローマ

Primavera

春

秘密の庭園や邸宅が扉を開く日 　　　*no.001*

　3月と10月の年に2回、イタリア中でLe Giornate FAIというイベン
トが開催されます。これはイタリア版ナショナルトラスト、FAI
（Fondo Ambiente Italiano）が企画し、一般公開されていない邸宅
やお城が特別にこの週末だけ見学者に公開されるというもの。普段
は銀行や公的機関のオフィスとして使われていたり、個人の所有物で
ある建物が、この日だけはフィレンツェでも、いつもは閉まっている重
厚な扉が開かれます。足を踏み入れると、そこでは素晴らしいフレス
コ画や装飾、絵画が私たちを迎えてくれます。FAIのホームページ
（英語版あり）で事前予約を入れる必要がありますが、外国人でも予
約可能です。普段見られないフィレンツェの秘密の庭園や邸宅、郊外
のお城に足を踏み入れられる貴重な機会。美術館が多いこの街でも
まだまだ隠された宝がたくさんあるのだなあと、実感します。

400年間ベストセラーのボウル　*no.002*

　フィレンツェの家庭やリストランテで、ミントグリーンの模様が内側
に入った白いテラコッタのボウルをよく見かけます。下側がシェイプし
ていてなんともかわいい独特の形。これはcatino marmorizzato（カティーノ マルモリッツァート）と呼
ばれ、17世紀にプラートの街でつくられはじめた伝統的な陶器です。
散らすように吹きつけられた緑色の釉薬が、まるで大理石のように見
えるのが特徴。高価な大理石に似せたこのテラコッタは、安価な普段
使いの陶器として庶民に広まり、トスカーナ中で生産されはじめまし
た。今でも雑貨屋で売られていて、ボルゴ・ラ・クローチェ通りにある
雑貨屋Mazzanti（マッツァンティ）ではさまざまなサイズがそろってます。私もいちばん
小さいサイズを購入し、アペリティーヴォ (P.73) のおつまみ入れとして
愛用しています。大きめのサラダボウルも使い勝手がよさそう。400年
間、人々の暮らしのなかに存在し続けてきたベストセラー商品です。

Primavera

街中が黄色に染まる日

　今の時期、フィレンツェ郊外の家の庭先にはミモザの木が黄色い花
をたくさんつけています。3月8日は国際女性デー。イタリアではフェス
タ・デッラ・ドンナ（女性の日）と呼ばれ、各地で女性の権利向上を訴
えるイベントが催されます。この日は男性が女性にミモザの花を贈る
習慣があり、道端では小さな黄色い花束が売られます。お菓子屋では
ミモザの花を模した黄色いスポンジケーキのお菓子が並び、いつも行
くバールではレジ横のかごに飾ったミモザを、ひと房ずつ女性客に配
っていました。なぜこの花なのでしょう？　それは、まだ少し寒い3月の
気候に反して咲きこぼれるミモザの花の自由さ、強さを女性に例えて
いるから。私もこの日に黄色いミモザの花を贈られると、凛として力強
く自由に生きるイタリア女性をイメージしながら、しゃんと背すじがの
びる思いがします。ちなみにフィレンツェの美術館ではこの日特別に、
女性の入場料が無料になります。

フィレンツェにもある最後の晩餐　　

　「最後の晩餐」といえばミラノのサンタ・マリア・デッレ・グラツィエ
教会にあるレオナルド・ダ・ヴィンチの作品を思い浮かべる人が多い
と思いますが、フィレンツェにも素晴らしい「最後の晩餐」がいくつか
残っています。同じ題材でも画家により随分と印象が変わるので、見
くらべてみるとおもしろいですよ（写真はチェナーコロ・ディ・サン・サル
ヴィ）。

◎Cenacolo di San Salvi（チェナーコロ・ディ・サン・サルヴィ）
　アンドレア・デル・サルト作（1511-1527年頃）
◎Cenacolo di Fuligno（チェナーコロ・ディ・フリーニョ）
　ピエトロ・ペルジーノ作（1493-1496年）
◎Cenacolo di Sant'Apollonia（チェナーコロ・ディ・サンタポッローニア）
　アンドレア・デル・カスターニョ作（1447年）
◎Basilica di San Marco（サン・マルコ修道院）
　ドメニコ・ギルランダイオ作（1486年）

青春のチェント・ジョルニ   *no.005*

　日本と違い、イタリアの高校の最終学年は5年生。学生たちは6月半ばの卒業試験に向けて、年明けから勉強をはじめます。高校卒業試験（esame di maturità）からさかのぼって100日前にあたる3月14日に、この日だけ家に参考書をおきっぱなしにして、クラスメイトと海や山に行くという風習があります。この習慣はチェント・ジョルニと呼ばれ、同じイタリアでもそれぞれの街によって行き先は違いますが、フィレンツェの学生たちは列車で1時間半の場所にあるヴィアレッジョの海に行くことが多いそうです。

　波打ち際の砂の上に「100 giorni」（100日）と書いて、すべてを波が消してくれたら、試験がうまくいくというジンクスがあり、みんな、ゲン担ぎに夢中です。まだちょっと寒い3月の静かな砂浜で、間もなく終わってしまう高校生活の最後の思い出づくりをする学生たち。大丈夫、きっとうまくいくはず。

香りのアトリエへようこそ

　職人の工房のような小さな扉を押して入ると、店内の美術館のような独特の世界観に圧倒されます。ここはサンタ・クローチェ教会のすぐそばにあるフィレンツェ発のフレグランス工房Aquaflor<ruby>アクアフロール</ruby>のショップ兼アトリエ。改装された貴族の邸宅には、店舗と、ラボでつくられた香水をボトリングする工房、フラワーアレンジメントのアトリエ、さらにインテリアショップも併設されています。美しいボトルに入れられたさまざまな香水は、「香りを身にまとう」というヨーロッパの香りの文化を今に伝えています。ピンときた香りを試させてもらいましょう。ルームフレグランスにはGiardino di Boboli<ruby>ジャルディーノ ディ ボーボリ</ruby>というボーボリ庭園（P.111）からインスピレーションを受けたフレグランスも。レモン、オレンジ、バラ、ジャスミン、そして大木の香りがボーボリ庭園を散歩しているような気分にさせてくれますよ。

11

Primavera

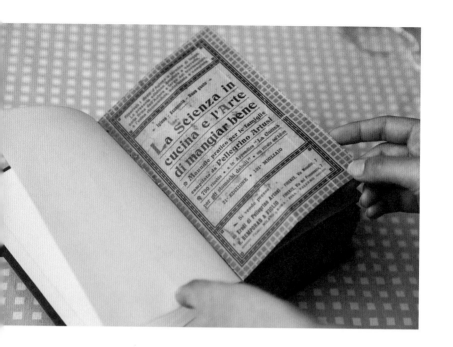

イタリアの家庭料理の父   *no.007*

　イタリアには郷土料理が星の数ほどあり、同じトスカーナ地方の
なかでも街ごとに特色がある料理がたくさん存在します。1891年に
イタリア全土の家庭料理を分類してレシピを紹介した料理本「La
scienza in cucina e l'arte di mangiar bene」（「厨房の学とよい
食の術」）がフィレンツェで出版されます。著者は美食家で料理研究
家であったペッレグリーノ・アルトゥージ。レシピには分量が細かく記
され、誰でも同じようにつくれる画期的な料理本でした。475のレシ
ピをおさめた初版本は、再版されるたびにそのレシピが追加され、
1910年に発行された第14版では790にまで増えたそうです。彼の死
後も再版が続き、イタリアでもっとも売れた料理本となり、現在でも
本屋に並んでいます。時代の波に押されてイタリアも食のグローバル
化が少しずつ進んでいる昨今、再びこの本を手にしてmangiar
bene（よい食）とは、について再考する必要がありそうです。

フィレンツェでは「バッボ」

　キリストの義父である聖ジュゼッペの命日3月19日は、父の日（Festa del papà）です。「マンマ」のイメージが強いイタリアですが、お父さんもまた家族の中心的存在。ほとんどの家庭が夫婦共働きなので、学校の保護者会でも子どもの送り迎えでも、母親と父親の数は半々で、子育てパパの姿は全くめずらしいものではありません。平日は子どもの宿題を手伝い、週末は子どもをサッカーに連れて行く姿を見ると、母親のサポートというよりも子育てに積極的に参加するというスタイルです。イタリア語でお父さんの愛称はpapàですが、トスカーナではbabbo。どちらもpadre（父親）という言葉を幼児が発音しようとして簡略化したものです。大人になった息子が父親を「バッボ」と呼ぶと、微笑ましく、より親しみを感じます。フィレンツェで暮らす私には、「バッボ」という呼び方がしっくりくるみたい。

13

Primavera

寒暖の差は玉ねぎファッションで　*no.009*

3月の終わりは昼間の気温が20℃くらいまで上がりますが、日没後は急に冷え込みます。寒暖の差がある日は何を着たらいいのか悩ましい。そんな時は「vestirsi a cipolla（ヴェスティルシィア チポッラ）（玉ねぎのように着る）」。何層にも重ね着をして、暑くなったらどんどん脱ぐ服装を、剥いても剥いてもまだある玉ねぎに例えたいい方です。薄手のインナーに、セーター、その上にコートを着て、首まわりにスカーフやマフラー。暑くなったらどんどん脱ぎましょう。みんな、服装の季節感は全く気にしません。暑い日は涼しい格好をすればいいし、寒かったら春でも冬用のダウンを着込んだり、自分が快適だと思う服装で歩いています。タンクトップ姿の女の子もダウンを着込んだシニョーラも、みんなが、好きな洋服を好きなように着る。他人が何を着ていようがかまわない。この自由さはイタリアで暮らしていて心地よいなあと思う部分です。

骨董商の収集癖を楽しむ美術館

　グラツィエ橋のたもとにあるバルディーニ美術館は、フィレンツェを訪れる人に私がもっともすすめたい美術館です。1880年に骨董商ステファノ・バルディーニが、ショールームとしてこの邸宅を改装しました。1865年から1871年までの6年間、一時的にイタリアの首都となったフィレンツェでは、近代化に向けて再開発工事が急ピッチで行われ、多くの住宅や教会が取り壊されました。バルディーニは工事で撤去された建物の窓枠や建築装飾、タベルナーコロ（壁龕※）や磔刑像などを大量に買い集め、保存します。それは骨董商としての商売魂だけでなく、「失われつつある古き時代のフィレンツェ」への郷愁を感じていたからかもしれません。見どころは「磔刑像の間」の壁一面に並べられた聖母子像のコレクション。同じポーズで幼子を抱くさまざまな聖母像が並ぶ様子は、バルディーニの収集癖が感じられる不思議な空間です。メルカート・ヌオーヴォ広場の名物イノシシ像のオリジナルも展示されています。

※壁につけた凹みに聖人や聖母マリアを祀った小さな祭壇

フィレンツェ生まれのカクテル　　　*no.011*

　食だけでなく、お酒の分野でもイタリア人の抜群の味覚センスは光っています。ベルモットとカンパリを炭酸で割ったカクテルAmericanoは1860年代にミラノで生まれました。アメリカ人ツーリストの間でこのカクテルが大流行したことから、この名前がつけられたのだそうです。その後、1919年にフィレンツェのカミッロ・ネグローニ伯爵が、行きつけの店で、もっとアルコール度の高いバリエーションとして、炭酸のかわりにジンを入れさせます。ネグローニ伯爵の「いつものカクテル」があっという間に流行り、フィレンツェ発のカクテルNegroni（写真手前）が生まれたのでした。ロックグラスにたっぷりと入れられた氷が少しずつ溶けるごとに、ベルモットの苦味が心地よい甘味へと変化していくおもしろいカクテル。アルコール度数がとても高いのでご注意を！

サマータイムはいつから？

「夏時間（サマータイム）っていつはじまるんだっけ？」

　毎年3月になると、まわりのイタリア人からこんな質問をされます。途中、廃止された時期もありましたが、夏時間制度がイタリアで導入されて100年以上が経つのに、いつ時計の針を進めるのか覚えていない人が少なくありません。イタリアの夏時間のはじまりは、毎年、3月最終週の週末。日曜日の深夜、1:59の後、3:00になり、あら不思議！ 1時間が消えてしまうのです。これは夏の昼間の長さを利用し、1時間時計の針を進めることで省エネルギーを図るという制度です。ところが、この時間変更が人々の健康に及ぼす影響が問題視され、欧州議会は制度の廃止を決定しました。しかし加盟国の足並みはそろわず、イタリアはウクライナの紛争によるエネルギー危機を考慮し、2023年は現状維持を決めました。私は断然、サマータイム維持派。夜9時まで外が明るくて1日をたっぷり楽しめる夏時間を満喫しています。

大掃除は復活祭までに

イタリアではパスクワ（復活祭）の前に、家中を隅々まで綺麗にする習慣があります。これは、酵母なしのパンを食べるユダヤ人が、パスクワの前に家中を掃除し、家のなかからあらゆる酵母を取りのぞくという習慣に由来しているのだとか。普段から掃除好きの人が多いイタリアで、この時期にうっかり掃除の話題を出してしまうと、掃除の仕方やおすすめの掃除機メーカーの話が延々と続きます。全員の意見が一致するのは、掃除にはお酢が欠かせないこと。水道水が硬水なので水垢が溜まりやすく、水垢の掃除用のお酢がスーパーの掃除用洗剤売り場で売られています。そしてみんなが口をそろえていうのは、蒸気で洗うvaporettoというスチームクリーナーが床掃除にいちばん効果的だということ。タイルの目地もスッキリ綺麗になるそうです。ニヤリと笑いながら「隅の汚れもこれで掻き出すのよ」というシニョーラの家は、パスクワの前にピカピカになっていることでしょう。

クラシックカーは走る文化財

　晴れた日曜日、ミケランジェロ広場で偶然、クラシックカーのイベント
に遭遇しました。トスカーナ中から集合しためずらしいクラシックカー
がズラリと並び、愛好者が楽しそうに写真を撮っています。一般の
イタリア人にとってクラシックカーを所有することはぜいたくな趣味
ですが、古い車を大切に維持していくにあたり、一部、州の補助があ
るのです。トスカーナ州では文化的価値のある車は製造から30年経
つと auto d'epoca と呼ばれる「クラシックカー」に認定され、車両税
は通常の8割引きとなります。フィレンツェ市は「所有者が大切に維持し
てきたアウト・デポカは文化財である」という姿勢で、2021年から市
内の一般道をクラシックカーで走ることを許可しています。大勢の人
が見守るなか、ピカピカに磨かれたFIAT500が、ブルンと勢いよくエ
ンジンをかけてうれしそうに走り出しました。

ローズマリーの聖なるパン

　パスクワ（復活祭）直前の木曜日は聖木曜日といい、キリストが最後の晩餐の席で弟子たちにパンとワインを与えた日です。フィレンツェではこの日に、pan di ramerino という甘いパンを焼く古い習慣があります。ラメリーノとはトスカーナの方言でローズマリーのこと。生地にオリーブオイル、ローズマリー、甘いワインでふやかした干し葡萄を練りこんで、表面には焼く前に卵黄、焼いた後で砂糖シロップを塗り艶を出します。その昔、フィレンツェのパン屋では、神父を招いて、オーブンから取り出した焼きたてのパン・ディ・ラメリーノを祝福してもらっていました。以前は、年に一度、聖木曜日のみ売られるパンだったので、大量に焼かれたこのパンを買い求める人が店に行列したのだとか。今ではパスクワの時期に関係なく一年中パン屋で売られていて、たまに食べたくなる素朴なおやつです。

Primavera

お祭りには欠かせない歴史行列 *no.016*

　お祭りには欠かせないのが歴史行列。馬に乗った騎士、豪華なドレスを身にまとった貴婦人たち、きびしい甲冑姿の衛兵がフィレンツェの街を練り歩きます。石畳が残る古い街並みを背景に、鼓笛隊の演奏に合わせてゆっくりと行進するパレードの様子は、まるで絵画のようです。時折、ドラムの音に合わせて、空に旗を投げるのはsbandieratoriと呼ばれる旗投げ旗手。ハラハラしながら見守る私たちの心配をよそに、若々しい旗手たちが空高く投げ上げた旗をうまくキャッチできたら、沿道からは大きな拍手が湧き上がります。カール5世率いるスペイン軍とローマ教皇軍により街が包囲された際、フィレンツェ共和国軍が市民の士気を高めるために古式サッカーの試合を行いました。1930年にこの試合を再現した時、この歴史行列が編成され、以来90年以上も続いているそうです（P.63）。でもこの街の長い歴史にしたらまだまだ新しいですね。

Primavera

鳩に見えないパスクワのケーキ　　　*no.017*

　キリスト教徒にとって鳩（コロンバ）は平和のシンボルであり、精霊を象徴し、卵（復活）、ウサギ（多産）とともにパスクワ（復活祭）に結びついた大切な意味を持つ動物です。家族が勢ぞろいするパスクワのランチには、巨大な卵型のチョコレートとともに、colomba pasquale（復活祭の鳩）と呼ばれるケーキが欠かせません。このケーキ、鳩をかたどっているはずなのに、毎回「どこが鳩なのかしら？」と思うほど形は簡略化されています。きっと十字架の意味合いもあるのでしょう。なかはクリスマスのパネットーネに似たブリオッシュ生地で、表面はビスケット状にカリッと焼き上げ、上面にアーモンドと砂糖を飾ったシンプルなお菓子です。パスクワが近くなると、パン屋やお菓子屋、スーパーなどでこの季節のお菓子が売られはじめます。パスクワのご馳走を食べた後、もう全員のお腹はいっぱい！　でも縁起物のコロンバの一切れが入るスペースは必ずどこかにあるのです。

鳩が飛んで爆竹が鳴る復活祭 *no.018*

　パスクワ（復活祭）の際に行われるスコッピオ・デル・カッロというフィレンツェの伝統行事は、前の日の夜からはじまります。十字軍がエルサレムから持ち帰ったという火打ち石が、今も保管されているサンティ・アポストリ教会。ここで聖なる火がおこされ、パレードとともにドゥオーモへと運ばれます。翌日のパスクワのミサの途中、午前11時頃に大司教が「神に栄光あれ」という言葉とともに手元のボタンを押すと、聖なる火で点火された花火仕掛けのつくりものの白い鳩がケーブルを伝って猛スピードで外に飛び出し、教会前広場に用意されたブリンデッローネと呼ばれる山車のまわりをぐるっとまわって、再び主祭壇に戻ります。大勢の人が見守るなか、山車につけられた大量の爆竹や花火がにぎやかに弾けて、鳩が祭壇に戻ってきたら豊作の予報。今年も無事に鳩が戻ってきてみんなひと安心。さあ、これから本格的にフィレンツェに春が訪れます。

23

Primavera

街でいちばん高い建物は？

　街のなかのどこからでも、ちょっと高い建物に上ると必ず見えるのが
ドゥオーモのクーポラ（丸屋根）。それもそのはず、ドゥオーモはフィレン
ツェの中心部でもっとも高い建物です。クーポラはフィリッポ・ブルネッ
レスキの設計により1420年に建造が開始され、先端部をのぞく大部
分が1436年に完成しました。当時、世界最大級だったドーム部分は
足場なしで建造され、いまだに実際の建築方法は謎の部分が多いそ
う。ドゥオーモの後方にあるドゥオーモ付属博物館では、ドゥオーモ
内外を飾っていた美術品だけでなく、クーポラの木造模型や建築工事
で実際に使われた昔の道具などが展示されています。600年以上前
に、果たしてどうやってこの大きなクーポラを建てたのか？　その謎解
きにぜひ挑戦してみてはいかが？

パスクエッタには街を飛び出そう　

　パスクワ（復活祭）の翌日はPasquetta（パスクエッタ）といい、イタリアではこの日は祝日です。パスクワは日曜日と決まっているから、パスクエッタは月曜日。フィレンツェでは郊外に足をのばす日です。磔刑後、埋葬されたはずのキリストが墓から姿を消し、エルサレムの郊外で、復活した姿で使徒たちと再会したという聖書の記述にちなみ、この日は街を離れ、友人や家族と一緒に郊外へピクニックに行く習慣があるのです。田舎の友人宅を訪ねたり、温泉に行ったり、フィレンツェ周辺の小さな街を訪れたり、郊外のレストランを予約したり、みんな、何かと理由をつけて街を離れます。けれど「パスクエッタは必ず大雨が降る」というジンクスが。「この日に晴れてピクニックができた年って、何回あったかしら？」と考えてしまうほど、決まって雨が降るパスクエッタの月曜日。さて、来年のパスクエッタはいかに？

Primavera

サント・スピリト地区の隠れた美術館 no.021

　サント・スピリト教会の左横にFondazione Salvatore Romanoと書
かれた扉があります。そっと扉のなかに入ると、アンドレア・オルカーニ
ャが1365年に描いた巨大なフレスコ画「磔刑図と最後の晩餐」が目
に入ります。ここは元々、サント・スピリト教会の修道士たちが食事をと
る食堂でした。19世紀末にトラムの車庫として使われていたことで、残
念ながらフレスコ画は広く破損していますが、残された部分は650年
以上前の完成時の素晴らしさを伝えています。展示されている紀元前
から15世紀にかけての美術品は、ナポリ出身の蒐集家サルヴァトー
レ・ロマーノによって集められた作品です。長くフィレンツェに住み、こ
こで亡くなった彼は大切にしていた美術品を1946年にフィレンツェ市
に寄贈しました。それらの作品のなかでもとくに10世紀末から12世紀
にかけてのロマネスク時代の彫刻は、とても稀少なコレクションです。
動物や人物をかたどった彫像や絵画は、どれも愛嬌があり、かわいら
しさに満ちあふれていて、彼が愛を持って蒐集した様子が伺えます。

　とても小さな美術館ですが、心に残る作品と出会える静かでとって
も素敵な空間です。土、日、月曜日のみ開館していて、入場チケットは
同じくオルトラルノ地区にあるカルミネ教会ブランカッチ礼拝堂との共
通券です。

ネクタイ姿でつくるグルメなパニーノ　　*no.022*

　サンタンブロージョの朝市の向かいに、見逃してしまいそうなほど
小さなパニーノ屋Semelがあります。店名はオーストリアのパン「セー
メル」が語源で、やわらかい白パンのこと。これに日替わりの具をはさ
んであたためてくれます。黒板に書かれた「本日のおすすめ」はジュニ
パーベリーで煮込んだ鹿肉とポルチーニのソテー、黒キャベツと七面
鳥の肉、サラミとイチヂクのバルサミコ酢がけなど……。パニーノ屋は
たくさんあるけれど、こんなに気がきいた具の組み合わせを提案する
店はほかにありません。鴨のソースであえた卵麺パスタをはさんだパ
ニーノなどは、まるで焼きそばパンのよう。おしゃれなネクタイ姿のフ
ォーマルな出で立ちのオーナーさんが、シャツの袖をまくりていねいに
つくるパニーノはどれもおいしくて、何度も通い全種類食べたくなりま
す。隠れメニューのチョコレートとリコッタチーズをはさんだ甘いパニ
ーノもお忘れなく。

4月の名所は藤のトンネル

「うわー！　このトンネルは絶対にくぐってみたい！」

　はじめてバルディーニ庭園の藤棚の写真を見た時、そう思ったのでした。フィレンツェでは邸宅の庭に藤が植えられていることが多く、春には石垣の壁に這うように美しく咲く藤が見られます。でも、これほど見事な藤棚はフィレンツェでもめずらしいでしょう。1年に一度、4月20日頃からバルディーニ庭園の藤が満開になります。グラツィエ橋の目の前に位置する、ちょっと小高い場所にあるこの庭へ行くには、バルディ通り1R番地の建物から入れます。見頃になると花を愛でる市民が多く訪れ、まるで日本のお花見のよう。絶妙な色の濃淡が美しいのは、色味が違う3種類の藤が植えられているからなのだとか。全長70mの花のトンネルの下には大きな紫陽花も植えられていて、こちらは5月半ばから6月末に開花します。藤棚の先にある高台からはフィレンツェの街が一望できます。

どこでも犬と一緒に行く

　レストランで隣の席のテーブルの下に、大きな犬がゴロンと横になっているなんていう光景にしばしば遭遇するイタリア。ペットの犬に対してとても寛容な社会だと感じます。店主の意向で犬と入店できないところもありますが、大概の店では犬と一緒に入ることができます。口輪をつければトラムやバスにも乗れるし、空港や駅の構内ではリードで歩かせることができます。唯一、教会と美術館にだけは犬連れで入ることができません。街でよく見る散歩中の犬たちは慣れているのか、おとなしくてほかの犬に吠えるなんていうことはあまりありません。飼い主と一緒に海にだって行っちゃう！ イタリア全国にspiaggia per cani と呼ばれるドッグビーチがあり、犬連れで海水浴を楽しめます。自由に砂浜を駆けまわり、海を満喫する犬たちの姿は何とも微笑ましい光景。犬は家族の一員。だからヴァカンスも一緒に楽しむのです。

カフェ文化に新風を吹き込む

　何年前でしょう? La Ménagère（フランス語で主婦の意味）という
名前の1896年創業の家庭用品店が、同名のおしゃれなカフェになっ
たのは。サン・ロレンツォ聖堂からジノリ通りに入ってすぐの場所にあ
るこのカフェ・レストランは、ひとつの空間に、フラワーショップ、雑貨
屋、ブックショップを併設していて、今までのフィレンツェにない新し
いスタイルです。至るところに飾られた花に囲まれて、ゆったりと過ご
せるぜいたくでエレガントな空間は、朝食、ランチ、アペリティーヴォ
（P.73）、ディナーと、一日中、さまざまなシーンで活用できます。四季
を通じてラ・メナジェールが提案するのは、地元の食材をいかした新
しいトスカーナ料理。美しい見た目だけでなく、味もいいところはさす
がイタリア。フィレンツェの街の中心にありながら、美しい花に埋め尽
くされた秘密の花園のような存在です。

花市で苗を選ぶ楽しみ　　　no.026

　春と秋の年に2回、リベルタ広場の近くのGiardino dell'Orticoltura
<ruby>ジャルディーノ<rt></rt></ruby> <ruby>デッロルティコルトゥーラ<rt></rt></ruby>
という公園で大きな花市が開催されます。ここは19世紀当時、めずらし
い植物や野菜を集めた植物園でした。1880年につくられたクリスタ
ル・パレスという大きな温室は現在も残っています。春の花市の開催は
4月25日から5月1日まで。豊富な種類の球根、多肉植物、果物の苗、バ
ラやさまざまな花の苗など、店によって特徴があり、見てまわるだけでも
楽しいイベントです。ハーブの苗の種類が豊富で、バジルだけでも葉の
大きさや色、形が違うものがたくさんそろうのはさすがイタリア。近所の
人たちが両手に大きな鉢を抱えたり、自転車に苗を乗せてうれしそう
に持って帰っていました。温室の右横の小道を上るとドゥオーモが正面
に見える小さな見晴台があり、フィレンツェの美しい街並みを見渡せま
す。ミケランジェロ広場とはひと味違った隠れた展望スポットです。

人生のように苦いコーヒー

　最近、バールでふと気づいたことは、袋入りのコーヒーシュガーの大きさが、以前にくらべて小さくなってきたこと。いつも1袋全部を入れると私には甘すぎるので、残してもったいないなあと思いつつ、袋の半分だけ入れていました。今までバールにおかれていた袋入りシュガーは内容量が6〜7gだったのに対して、最近は3.5〜4gのものが増えてきているそうです。シュガーを入れないという人も。もちろん、大部分のイタリア人はコーヒーに砂糖を入れるから、「シュガーを入れないコーヒーなんて」とまわりは顔をしかめるけれど。糖質制限をしている健康志向の友人は、「ブラックのコーヒーは最初は苦いけれど、そのうちコーヒーのうまみを感じるようになるのよ」といいます。そんな彼女にコーヒーを淹れて「お砂糖は何杯?」と聞くと、決まって返ってくる返事は「Lo prendo amaro come la vita.」（人生にように苦いままで飲むわ）

33

Primavera

イタリアの家は扉がオートロック　　　*no.028*

　ゴミを捨てに行こうと建物の廊下に出た途端、背後でバタンと扉が
閉まる音が聞こえました。ハッと気づいたら、家の鍵はキッチンのテー
ブルの上においたまま！　こんなことが、何度あったことでしょう。

　イタリアの扉はなかからはノブで開くけれど、外からは鍵がないと
開かないオートロックシステムです。日本ではドアノブで動かすラッチ
（三角形の突起部分）を、イタリアでは鍵を使って動かします。だから
鍵はとっても大切。緊急時のために、私はいつも信頼できる近所の友
人に合鍵を預けていますが、スペアの鍵が手元になくて、すぐに家の
なかに入る必要がある時は、泣く泣く有料で鍵屋を呼ばなくてはいけ
ません。のんびりやって来た鍵屋が、ものの1分もかけずに素早く作業
をし、嘘のように簡単に扉が開きます。こうならないためにも外出時に
は必ず鍵を持って出ましょう。

普段着のフィレンツェが見えてくる

no.029

　フィレンツェにはあまりに見どころが多すぎて、疲れてしまうことも
あります。そんな時、ちょっと息抜きに、郊外の住宅地を散歩して、普
段着のフィレンツェ暮らしを味わってみませんか？ サン・マルコ広場
から外環道路側に歩いて行くとリベルタ広場に出ます。広場に何軒か
ある店のなかでおすすめは、お菓子がおいしいバールCaffè Lietta と
夕方にアペリティーヴォ（P.73）ができる食料品店Galanti。さらに外
側のムニョーネ川に出ると、左手に小さなかわいらしい橋Passerella
Pedonale Vittorio Vettoriがあります。4月下旬は藤の花がアーチのよ
うに咲いていてとても綺麗。元気があればクーレ地区まで足をのばして
みましょう。クーレ広場には日曜日以外、毎日朝市が開かれ、新鮮な
野菜や果物、チーズやなどが売られています。中心部に戻るのにはバス
を利用すると便利です。

アイリス好きが世界中から集まる庭 no.030

　5月の晴れた平日を狙って、ミケランジェロ広場の横にあるアイリス庭園へ。ここは1954年に設立されたイタリア・アイリス協会が管理する庭園です。毎年4月20日から5月25日頃まで開催されるアイリスの国際品評会のために一般公開されていて、花好きなフィレンツェ市民でにぎわいます。見頃は4月末から5月初旬。街の喧騒からちょっと離れて、世界中から出品されたさまざまな形と彩りのアイリスを楽しめるので、多くの人が年に一度のこのイベントを楽しみにしています。斜面に植えられたオリーブの木の合間に咲き誇るアイリスが風に揺れる光景は、まるで映画のワンシーンのよう。ツーリストも入れるので、この時期にフィレンツェを訪れたらぜひ行ってみてください。入り口では協会のボランティアが育てたアイリスの球根が売られていたので早速購入し、家の庭に植えてみました。花の色は来年咲いてからのお楽しみ。

チェッリーニの「ペルセオ」

　シニョリーア広場に面したランツィの回廊にはフィレンツェを代表する彫刻家のひとり、ベンヴェヌート・チェッリーニの傑作「ペルセオ」が展示されています。メディチ家のコジモ1世がフィレンツェ共和国政府に勝利したことを、ペルセオ（ペルセウス）がメドゥーサを倒したギリシャ神話に例えた大作で、コジモ1世のために、台座も含めすべてチェッリーニが手がけました。1545年から9年かけてこの作品を制作した時の様子を、チェッリーニは自伝「Vita」のなかで細かく書き残しています。像全体を一気に鋳造していたところ危うく工房で火事を起こしそうになったり、嵐のために窯の温度が下がったり、銅が足りなくなり台所から掻き集めたありったけの鍋を投入したり。完成した傑作からは想像できないような興味深い苦労話が綴られています。この作品、ペルセオのヘルメットを後ろからちょっとのぞいてみてください。天才彫刻家チェッリーニの気むずかしそうな髭面が隠されていますよ。

37

Primavera

ボッティチェッリとシモネッタ   *no.032*

　「春」、「ヴィーナスの誕生」を描いたイタリア初期ルネサンスの代表
的な画家サンドロ・ボッティチェッリは1510年5月17日に享年65歳で亡
くなり、自らのフレスコ画「聖アウグスティヌス」(写真中央)があるオ
ンニサンティ教会に埋葬されます。ボッティチェッリの絵画に登場する
甘美な聖母子像や神話の登場人物のモデルといわれるシモネッタ・ヴ
ェスプッチも、夫の家の墓標があるこの教会に眠っています。当時す
でに人妻であったシモネッタは、その美貌から理想的な女性像として
フィレンツェの画家や詩人にインスピレーションを与えました。彼女
はボッティチェッリと出会ってからわずか1年後、たった23歳の若さで
亡くなります。ボッティチェッリが「ヴィーナスの誕生」を完成させたの
は、それから9年後のこと。15世紀半ば、フィレンツェがもっとも輝い
た時代を生き抜いたふたりが眠るこの教会に足を踏み入れると、この
街のルネサンスの栄華が感じられるかのようです。

小腹が空いたらスキアッチャータ

no.033

学生時代、schiacciata（スキアッチャータ）のおいしさに魅了された私は、毎日パン屋でこればかり買っていました。店員さんが、長方形に焼かれた巨大なスキアッチャータにナイフをあてて、「このくらい？」と切ってくれます。このフォカッチャは焼く前に生地を指で潰す（schiacciare（スキアッチャーレ））ことから、フィレンツェではスキアッチャータと呼ばれています。生地の上面にたっぷり過ぎるほどのオリーブオイルを塗り、パラパラと粗塩を振りかけて、オーブンで焼き、さらに追加でオリーブオイルを塗って出来上がり。お昼時にはお願いすると器用に包丁で上下に切り分けて、間に生ハムやチーズをはさんでくれます。大人も子どももみんな、スキアッチャータが大好き。お腹を空かせて機嫌が悪い子どもだって、店の人がさっと手渡ししてくれる細く切ったスキアッチャータの一切れを握り締めたら、あら不思議！ たちまち笑顔になってしまいます。

現存するヨーロッパ最古の薬局　　　no.034

　日本にもショップがあるサンタ・マリア・ノヴェッラ薬局は、現存する
ヨーロッパ最古の薬局として、世界中の顧客に愛用されているオリジナ
ルの香水やポプリ、スキンケア製品、石鹸などを製造販売していま
す。店舗はたくさんありますが、歴史あるこの薬局の魅力を堪能する
なら、スカーラ通り16番地の本店に行くべきでしょう。一歩、足を踏み
入れると、店内にはポプリの香りが漂い、日常を忘れさせる独特の雰
囲気があります。正式に薬局として営業しはじめたのは1612年のこ
と。工場がフィレンツェの街の少し外側に移されたのは割と最近で、
それまでは製品の生産もこの場所で行っていたというから驚きです。
新製品を発表しつつ、容器や製造方法にも伝統を重んじるスタイル
が、このブランドの魅力のひとつなのだと思います。

満開のアカシアと春の味覚

　5月中旬、トスカーナの郊外ではアカシアの花が満開を迎えます。藤
の花に似た房状の白い美しい花からは甘い香りが立ち込め、蜂たちが
ブンブンとうれしそうに花の蜜を集めています。この時期、晴天が続い
て開花期間が長いほど、アカシアの蜂蜜の生産量が多くなるそうで
す。白いアカシアの花が青空に映える春の午後、草原の片隅で何段に
も高く積み重ねられたカラフルな養蜂箱を見ると、一生懸命働く蜜蜂
たちを応援したくなります。朝市でも売られているトスカーナ産のアカ
シアの蜂蜜は、花のよい香りとサッパリとした口当たりで、朝食のトース
トに欠かせません。蜂蜜だけでなく、アカシアは花も食べられるのをご
存知ですか？ 冷水に薄力粉を溶かした衣を用意し、房ごと衣をつけ
て、油でカラリと揚げます。サクサクのフリットは、ちょっと塩を振って
食べると口のなかに甘い蜜の香りが広がり、まるで蜜蜂になったような
気分です。

中世生まれのブオンタレンティ味　*no.036*

　濃厚な卵クリームの味が口にとろけるBuontalentiは、私がいちばん
好きなジェラートのフレーバーのひとつ。クレーマ・フィオレンティーナ
とも呼ばれるこのクリーム味の起源はとても古く、1500年代半ばにさ
かのぼります。生みの親はメディチ家お抱えの画家、建築家そしてエ
ンジニアでもあったベルナルド・ブオンタレンティ。お菓子づくりにも精
通していた彼は、卵を使った濃厚なクリームをホイップして氷を入れて
冷やすジェラートのレシピを発案します。しかも手まわしのジェラート
メーカーまで設計製作してしまったというから、その凝りようは相当な
もの。それは二重構造の筒状の容器内に材料と雪や氷を入れてハン
ドルをまわすと、ヘラが回転するという仕組みだったそうです。中世から
伝わるブオンタレンティ味は、今でもまだフィレンツェのジェラート屋
ではポピュラーなフレーバーです。

スパゲッティにスプーンはNG

イタリア人にとって国民食ともいえるパスタは週に数回、食卓に上ります。もっともポピュラーなパスタはやはりスパゲッティ。おいしいソースを絡めたスパゲッティはみんな大好き。でもソースを絡めながらひと口分のスパゲッティをフォークで巻き、シャツにソースが飛ばないように気をつけながら口に運ぶのは、簡単ではありません。リストランテで外国人のツーリストが、左手でスプーンを持ち、その上でフォークにスパゲッティを巻く光景を見かけますが、これはNG。イタリア人から見ると美しくない食べ方です。パスタの食べ方はイタリア人のなかでも高齢者が上手だと思います。小さなトラットリアでお年寄りの常連客を観察すると、最後のひと口は、ほんのちょっと反対の手でお皿を傾け、クルッとフォークを回転させ、スパゲッティを素早く巻き取ります。おいしそうに食べる所作はとても美しく、さすがパスタの国の人たちだと感心します。

イタリアの郵便事情 *no.038*

　来客の予定がないのに、急に呼び鈴がリーンと鳴り、インターフォン
越しに「Posta!」（郵便）と叫ばれることがあります。イタリアの集合住宅で
は、郵便受けは建物の扉のなかにあります。鍵がないと建物のなかに
入れないので、郵便配達人は片っ端から呼び鈴を鳴らして、なかから表
の扉を解錠してもらうのです。もし建物に誰もいなかったら？　と余計な
心配をしてしまいますが、もし誰も扉を開けない時には、郵便局に持ち帰
って、再び配達をするのだそう。一方、小包は委託された業者が配達し
ます。このサービスは悪評が高くて、家でずっと待っているのに荷物が
届かず、不在票が郵便受けに入っていたり、不在票すら入っていなく
て、ネットで追跡すると「届けに行ったが不在」と表示されていたり。
小包ひとつ受け取るのにも、いちいちひと悶着あり、そんなことにエネル
ギーを費やすのがイタリアです。

ジョットの秘密の花園

　私がこの美しい庭園をはじめて訪れたのは、つい最近のことでした。フィレンツェから車で1時間ほど行ったヴィッキオという街の郊外にあるヴェスピニャーノという集落に14世紀の画家ジョットが所有していた家が残っています。Casa di Giottoと呼ばれるこの建物は、現在、地元のNPOが管理していて、年間を通じて展覧会や文芸コンクールなどのイベントや子ども向けの絵画教室が開催されています。ここには近所に住んでいるNPOのメンバーがていねいに世話をしている美しい庭園があり、一年中、さまざまな花が咲いています。とくに春はすべての花々が一年でもっとも美しい姿で光り輝いています。700年以上前にこの家で過ごしていたジョットの目には、咲き乱れるアイリスはどのように映ったのでしょう。公開は日曜日だけですが、春のこの庭の美しさとそのあざやかな色彩は訪れる者を魅了します。

フィレンツェが喪に服する日 *no.040*

　「ジェオルゴーフィリ通り」と聞くと、フィレンツェの住民はすぐに
1993年5月27日の夜に発生した爆弾テロを連想するでしょう。この
日、真夜中の1時過ぎにウフィツィ美術館の裏手の細い小道で爆弾を
積んだワゴン車が爆発しました。周辺の建物が崩壊し、火災も発生し
て、子どもふたりを含む死者5人、負傷者48人という惨事になり、爆
風でヴァザーリの回廊内の絵画の一部も損傷しました。イタリア中で
一連のテロが勃発していた時期で、テロの目的は政府のマフィア撲滅
の姿勢に対してのマフィア側からの意思表示だったといわれていま
す。今では角を曲がると多くのツーリストが楽しそうに美術館の入場
待ちの列に並び、のどかなこの通りにも静かな時間が流れています
が、テロが起こった場所におかれた「平和の木」と呼ばれるオリーブの
木をかたどったモニュメントが唯一、過去の証人として、30年前にフ
ィレンツェで起きたこの悲劇を語っています。

トスカーナはロードバイク天国　　*no.041*

　週末、フィレンツェ近郊では、カラフルなユニフォームを着てロード
バイクを楽しむ人がペダルを踏む姿を多く見かけます。緩やかなアップ
ダウンが続くトスカーナの丘陵地を自転車で走るのは、爽快な気分で
しょう。年齢層はさまざまですが、がっしりとした体つきなのにヘルメ
ットを取ると白髪のお爺さんだったりして、シルバー世代のパワーはあ
っぱれ。開催される多くのロードレースのなかで、もっとも有名なのは
Giro d'Italia。毎年5月に開催され、3週間、イタリア中に設定されたコ
ースで競い合います。総合成績1位の選手に与えられるシャツ
「Maglia Rosa」がピンク色なのは、スポンサーのスポーツ紙ガゼッタ・
デッロ・スポルトの紙面の色だからだとか。レースがはじまると競技
の様子がテレビ中継で毎日放送され、その熱狂ぶりから、自転車ロー
ドレースがサッカーに次ぐ国民的スポーツであることがわかります。

生のそら豆とチーズの相性   *no.042*

　春になると市場の野菜の屋台には、さやつきのそら豆がたくさん並びます。紙袋にたっぷり詰めて買っていく人が多くて、こんなに大量のそら豆をどうやって食べるのかしら？　と最初は疑問に思っていました。イタリア語で「そら豆」はfave（ファーヴェ）ですが、トスカーナ州ではbaccelli（バッチェッリ）と呼びます。フィレンツェの昔ながらのトラットリアでは、春のメニューのなかにbaccelli e pecorino（バッチェッリ エ ペコリーノ）が登場します。大量のそら豆と大きなチーズの塊がドンと出されるスタイルは、いかにも大衆食堂。さやを開いてそら豆をパクッと口に入れ、噛みながら、チーズのひとかけをかじり、赤ワインを飲む。そら豆の青臭さがまろやかなチーズのうまみで消されるとってもおいしい組み合わせです。確かに一度食べはじめるとなかなか止まらない、癖になる味わいです。

Primavera

フィレンツェの市場あれこれ

　フィレンツェの街中には市場がいくつかあります。各地区で雰囲気が違うので、あちこち行ってくらべてみると楽しいですよ（写真はリフレディの朝市）。

◎Mercato di Sant'Ambrogio（サンタンブロージョ市場）
　ツーリストにとってはいちばん行きやすい場所にある常設の朝市。
　建物内の食堂「ダ・ロッコ」は安くておいしい。
　日曜日以外毎日7:00〜14:00
◎Mercato rionale di Rifredi（リフレディの朝市）
　ごく普通の地域の朝市。フィレンツェ人の普段の生活をのぞけます。
　日曜日以外毎日8:00〜13:00
◎Mercato contadino di Piazza Tasso（タッソ広場の農家市場）
　チーズやパン、野菜など、オーガニックの農産物の屋台が多い。
　毎週金曜日15:00〜19:00
◎Mercato rionale di Santo Spirito（サント・スピリトの朝市）
　食料品以外に花や家庭雑貨、洋服も売られています。
　日曜日以外毎日7:00〜13:00

Primavera

フィレンツェでもっとも天国に近い教会 *no.044*

　晴れた日は、丘の上のサン・ミニアート・アル・モンテ教会まで、散歩がてらに歩いてみましょう。ここはミケランジェロ広場のさらに上の美しい修道院の一角にある教会です。階段を下から上り、まるで天国の門のような大きな鉄の門をくぐると、白大理石のファサード（正面）が目に入ります。玉座のキリストと聖母マリア、聖ミニアートをモザイクで描いた装飾は、金の背景がキラキラと輝いて美しく、それが青空に映える様子は、まさに「もっとも天国に近い教会」。もともとこの場所には、聖ミニアートが隠遁生活を送っていた小さな修道院がありました。彼は紀元後250年にアルノ川のあたりで斬首された後、自らの首を抱えてこの場所まで登り、ここで息絶えたという伝説が残っています。現在の建物が建てられはじめたのは今から1000年以上も前の1013年のこと。内部の装飾もとても美しく、クリプタと呼ばれる地下聖堂では、しばしば修道士たちがラテン語で祈りの歌を捧げる美しい光景に遭遇します。

　1000年の歴史を持つ修道院で、今もなお修道士たちがここに暮らし、祈りを捧げる日々を送っている姿は、信者でなくても心を打つものがあります。それぞれの修道士が手に職を持つベネディクト派らしく、教会の左横の売店では、蜜蝋細工を施したキャンドルや石鹸など、修道院内でつくられたさまざまなみやげものが売られています。なかでも、お菓子づくりが上手な修道士が焼くチョコレートケーキやクロスタータ（タルト）はおいしいと評判です。

Primavera

チーズといえばペコリーノ　　　　　*no.045*

　トスカーナでハードタイプのformaggio（チーズ）というと、それは羊
のミルク100％でつくられたペコリーノチーズのことを指します。紀元
前のエトルリア時代からローマ時代を経て、フィレンツェ周辺のチー
ズ農家では伝統的に羊のみが飼われているというのは、昔から羊の
チーズを好む食文化によるものなのでしょう。緩やかな丘に放牧され
る羊たちは、夏は青々とした牧草を食べるので、夏から秋にかけてつ
くられたチーズはほんのりと草の香りがします。ペコリーノチーズは熟
成期間によって、大きく分けて3種類に分けられます。

◎pecorino fresco（ペコリーノ・フレスコ）　熟成期間は20〜60日。
　食感はやわらかめで、フレッシュなミルクの甘みとわずかな酸味が特徴的。
◎pecorino semistagionato（ペコリーノ・セミスタジョナート）
　熟成期間は60〜180日。ピリッとした風味が独特のチーズ。
◎pecorino stagionato（ペコリーノ・スタジョナート）
　熟成期間は最低120日。食感はかためで味わい深く、ほのかにナッツの香りが。

Primavera

ほの暗いイタリアの住宅と省エネ　*no.048*

　日本に帰国すると家のなかが隅々まで明るいなと感じます。一方、イタリアの住宅は間接照明が多く、一概に薄暗い印象です。イタリア人はまぶしい蛍光灯が苦手という声もよく聞きますし、自宅でリラックスできるおしゃれな空間をつくろうとしたら間接照明ばかりになってしまったのかもしれません。27年前の留学中、私は下宿先のシニョーラに「また電気をつけっぱなしにして！」とよく叱られていました。彼女は必要のない電気は片っ端からパチパチと消し、真っ暗な家のなかで自分がいる部屋の電気だけをつけて生活していました。昔から電気代が高いというのも住宅の照明の数が少ない理由のひとつだと思います。発電用のガスをロシア産の天然ガスに頼っているイタリアでは、2022年のロシア・ウクライナ紛争勃発後、電気代が高騰しているので、これからイタリア国民の省エネの風潮にますます拍車がかかることでしょう。

Primavera

「オドーリ」は魔法の調味料　　　*no.049*

odori は直訳すると「複数のにおい」という意味。料理の分野では、
（オドーリ）
セロリ、人参、玉ねぎ、イタリアンパセリの4種類の香味野菜をひとま
とめにした言葉です。市場で「オドーリをください」というと、バリッと
セロリを2、3本手でちぎって、玉ねぎと人参、おまけのパセリと一緒に
袋に入れてくれます。スーパーではこの4種類の野菜がまとめて袋詰
めになっています。これらのオドーリを丸のままじっくりとゆで、塩味
を調整すれば、とびきりおいしい野菜ダシの出来上がり。時間がない
人のために手軽に使えるカット済みの冷凍オドーリパックがあり、これ
をオリーブオイルでじっくり炒めれば、ラグーソースのベースになります。
イタリアで発見したことは野菜のおいしさ。イタリアの野菜はかたくて火
が通るまで時間がかかるけれど、たっぷりのオリーブオイルでていねいに
炒めたオドーリはおいしいイタリア料理のベースです。

散歩で楽しむオルトラルノ

　「アルノ川の向こう側」という意味を持つOltrarno地区は、歴史地区のなかでもとくに昔のままの街並みが残っているエリアです。ドゥオーモがある街の北側からヴェッキオ橋を渡るだけで一気にツーリストの数が減り、カルミネ教会周辺まで足をのばすと、人々の暮らしが感じられる風景があり、街がその素顔をチラリと見せてくれます。1550年にトスカーナ大公コジモ1世がピッティ宮殿にメディチ家の宮廷を移した後、その周辺に貴族の邸宅が建てられるようになりました。通りに面した建物の1階部分には、馬車で出入りをしていた時代の名残として、アーチ状の大きな入り口が今も残っています。おしゃれなブティックや雑貨屋が多く見つかるのもこのエリアならでは。サント・スピリト教会前の広場の木陰のテラス席で夕方のアペリティーヴォ（P.73）を楽しめば、この街との距離がぐんと近くなるはず。

カンティーネ・アペルテ

　毎年5月の最終日曜日にはワイン好きにはたまらないCantine
Aperte（アペルテ）と呼ばれるイベントがあります。これは、ワイン愛好家にワイン
づくりの場を実際に見てもらい、大小星の数ほどあるセラーのそれぞ
れの魅力を知ってもらおうという趣旨で、イタリア全国のワインセラー
が扉を開け、テイスティングとセラー見学を開催するというものです。
数種類のワインのテイスティングのみのところもあれば、ランチまたは
ディナーつきだったり、テイスティングの前にトレッキングやヨガなどの
おもしろいイベントが企画されることも。セラー見学の後、「かごに用
意した自家製サラミやチーズとワインで、どうぞピクニックを楽しんで
ください！」という魅力的なサービスをしてくれるセラーも。街を飛び
出して、トスカーナの新緑が美しい葡萄畑で、自家製ワインをゆったり
と楽しめるなんて、なんとも極楽な5月の日曜日です。

Estate

_____

夏

純イタリア産の炭酸飲料スプーマ　　*no.052*

　太陽が照りつける夏の昼間、汗を拭きながらバールに入ってきた男性がカウンターでスプーマを注文していました。Spumaとは、フィレンツェのバールではオーダーしている人をよく目にするポピュラーな炭酸飲料です。普段、自分では注文したことがなく、私にとってはずっと謎の飲みものでした。調べてみると、1922年に中部マルケ州のパオレッティ社が生産をはじめ、80年代には全国的に飲まれていた炭酸飲料で、ソーダ水にカラメルや香料で味をつけた素朴な飲みものです。現在、トスカーナ州以外の地域では、すっかりマイナーになってしまいましたが、フィレンツェでは、その誕生から100年以上たった今でも、街中のバールで普通に飲まれています。この純イタリア産の飲みものスプーマが愛され続けるのは、ちょっとレトロなものが重宝されるこの街ならではなのかもしれません。

若さの秘訣は洗礼者ヨハネの朝露　　

　いつも元気ではつらつとしているフィレンツェ人の友人。そんな彼女に若さの秘訣を聞いたら、ちょっとふざけながらこんな答えが返ってきました。「サン・ジョヴァンニ（聖ヨハネ）の朝露のお陰よ」。6月24日はフィレンツェの守護聖人である聖ヨハネの祭日。洗礼者である聖ヨハネにちなんだ古くから伝わる風習があります。前日の夕方に野の花やハーブを摘み、水をはったボウルに浮かせて、月光があたる場所にひと晩おいておきます。翌朝、この水で顔を洗うと、それから1年間、健康で若々しくいられるのだそう。「La guazza di San Giovanni ラ　グアッツァ ディ サン ジョヴァンニ guarisce tutti i malanni」（聖ヨハネの朝露は万病にきく）という古い グアリッシェ トゥッティ イ マランニ いい伝えを口ずさみながら、野原で野の花をかごに集めます。夏のはじまり、一年でもっとも日が長いこの時期に、自然のエネルギーを感じながら、私も聖ヨハネの水で洗顔をしてみようと思います。

定番の保存瓶ボルミオーリ

　トマトソースを仕込むこの時期になると、雑貨屋の店先やスーパー
に大量の保存食用の瓶が並びます。この種類の瓶の固有名詞にまで
なっているほど、有名な瓶メーカーBormioli社は、北イタリア、パルマ
の郊外で創業し、ガラス工場として薬瓶や食材用の瓶、グラス、花瓶
などを生産していました。1976年に発売されたQuattro Stagioni
（四季）という家庭用保存瓶シリーズが大流行し、以来、各家庭のキ
ッチンに必ず1個はあるベストセラー商品となります。使い方はとても
簡単。煮沸消毒した瓶に粗熱をとった手づくりジャムやトマトソースを
入れ、蓋をぎゅっと閉めて鍋に並べます。蓋よりも水位が上になるま
で水を加え、鍋ごと火にかけて10分間沸騰させます。取り出した瓶を
布巾の上に逆さにして並べ、布で覆い、そのまま冷まします。蓋を押し
てペコペコしなければなかが真空になっている証拠です。

年に一度のフィレンツェの祭日　　*no.055*

　6月24日は守護聖人サン・ジョヴァンニ（洗礼者ヨハネ）の殉教日
で、フィレンツェ市は祭日です。学校も会社も休みとなり街角は祭り
一色に染まり、一日中、さまざまなイベントが行われます。フィレンツェ
にとって1年でもっとも長いこの1日は、ヴェッキオ宮殿からサン・ジ
ョヴァンニ洗礼堂までの市長が先導する朝のパレードではじまりま
す。その後、ドゥオーモで盛大なミサが行われ、午後には、社会にも
っとも貢献した10の団体または人物へFiorino d'oroという金貨が
贈与される式典がヴェルヴェデーレ要塞で行われます。サンタ・クロ
ーチェ広場ではCalcio Storico（古式サッカー）の決勝戦が開催さ
れ、最後は夜10時にミケランジェロ広場から打ち上げられる花火で
締めくくりという盛りだくさんの一日。このお祭りが終わったらいよい
よフィレンツェも夏本番です。

エザーメ・ディ・マトゥリタ

　イタリアの高校生にとって卒業学年5年生の最後に行われるesame di maturità（エザーメ・ディ・マトゥリタ）は、避けて通れない難関。高校の卒業資格を満たす学力を身につけたかどうかを試す全国テストで、毎年6月に行われます。1日目はイタリア語とイタリア文学の試験ですべての高校で共通、2日目は数学や物理、外国語、哲学、歴史など、それぞれの高校の専門に合った科目の試験となります。そして最後には口頭試験があり、学んだ知識だけでなく、自らの意見、自分なりの解釈を表現することを求められます。学生生活ではじめての本格的なこの試験を何とかパスして高校の卒業資格を取らないと大学に進学できないため、学生たちのストレスはかなりのものです。だからこそ、無事に試験に通った後で楽しむ、高校卒業後の夏休みはきっと忘れられないものになるでしょう。

老若男女ジェラートが好き

　暑い日の午後、ジェラート屋の前でおいしそうにジェラートを食べ
ている人々を見ると、つい店内に足を踏み入れてしまいます。うれしそう
にジェラートを手にするのは、背広姿の男性や買いもの途中の女性、
子ども連れなど。夕方には持ち帰り容器に入れてもらってディナーの
手みやげ用に買う人が増えます。そしてディナーの後は、夜の散歩途中
で立ち寄る家族連れやカップル、友人グループでにぎわいます。工夫
を凝らしたさまざまなフレーバーがあるけれど、人気のフレーバーは
1位チョコレート、2位ノッチョーラ（ヘーゼルナッツ）、3位レモンと、イ
タリア人の嗜好は割と保守的です。確かに、イタリア人の夫はどんなに
たくさんのフレーバーが並んでいても、2種類選ぶとしたらいつもイチ
ゴとチョコレート。子どもの頃からずっとこの組み合わせなのだそう。
行きつけの店でお気に入りのフレーバーを味わう。ジェラートは誰に
とっても日々の小さな幸せなのです。

トスカーナの海　　　　　　　　　　　*no.058*

　トスカーナというとオリーブ畑や葡萄畑が続く丘陵地帯をイメージ
する人が多いと思いますが、ピサ市やリヴォルノ市など、西のティレニ
ア海側に面したトスカーナの地もあるのです。海がないフィレンツェの
人々が夏の海をどれだけ愛しているかは、子どもたちの夏休みがはじ
まる6月半ばからの毎週末に、通称Firenze Mare（mareは海という意
味）と呼ばれる高速道路A11線が混雑する様子でよく感じ取れます。
日帰りでも、泊まりでも、とにかく海に行きたい！　ピサよりも北側の
海辺の街ヴィアレッジョやフォルテ・デイ・マルミは有名人の別荘が多
い一帯、一方、南側の街リヴォルノからさらに南下してピオンビーノに
向かう途中には庶民的なビーチがあり、まわりはのんびりした農耕地
帯でもあります。日焼けしてフィレンツェに戻る人々の満足げな表情
は、海のトスカーナを満喫した証拠。

一家に一台あるヒゲおやじのモカ

イタリア人家庭のキッチンに必ずあるもの、それは「モカ」。別名
マッキネッタとも呼ばれる、直火で淹れるエスプレッソメーカーです。
1933年にアルフォンソ・ビアレッティが、妻が使っていた洗濯機の仕
組みから思いついた噴出型のエスプレッソメーカーMoka Express
Bialettiを発表し、生産しはじめます。現在の8角形のボディは、アール・
デコスタイルを取り入れた発売当初のオリジナルデザインそのまま。
1953年には、人差し指を上に向けてカウンターでコーヒーを注文する
仕草のヒゲおやじがロゴとして登場し、ビアレッティ社製モカのトレード
マークになります。「In casa un espresso come al bar」(家庭でも
バールのようなエスプレッソを)というスローガンの通り、このモカのお
陰でイタリア人は自宅でもおいしいエスプレッソが飲めるようになった
のです。

暮らしのなかに生き続けるフレスコ　　*no.060*

　フレスコ画というと、教会や美術館のなかで鑑賞するイメージがありますが、実はもっと身近な場所にたくさん残っています。バルジェッロ国立博物館のそばにある魚料理のレストランFishing Lab〔フィッシング ラブ〕の2階席では、天井や壁面（写真）に残る14世紀のフレスコ画を鑑賞しながら食事を楽しむことができ、当時の詩人ダンテ・アリギエーリとボッカッチョの現存するもっとも古い肖像画もあります。また、オルサンミケーレ教会の裏手、カリマーラ通り20番地のブティックの店内の奥には壁面に、聖母子と3人の成人を描いたフレスコ画が残されています。もともと邸宅の小さな礼拝堂だった部分が、長い年月のなかで姿はそのままでも用途を変え、店舗になったり、オフィスや住宅になることも。そうした建物のなかに残されたフレスコ画が、街の長い歴史を今の私たちに伝えてくれています。

イタリアの長い長い夏休み

no.061

　毎年、トスカーナ州で学校の夏休みがはじまるのは6月10日頃。これから9月15日頃までの長い長い夏休みに入ります。この3か月間を子どもたちにどう過ごさせるか？　は常に親にとって頭の痛い課題です。毎日やるほど宿題は出ないし、登校日も学校のプールも全くなし。かといって親の夏休みが3か月間あるわけではなく、丸々子どもと一緒にヴァカンスに行く時間も予算もありません。いそがしい親にとってありがたいのが、6月、7月に開催されるcentro estivoと呼ばれるサマースクール。夏休み中に使われていない小学校の校舎や体育館を利用し、地域のNPOグループが大学生のアルバイトと一緒に企画、開催します。体を動かす遊びをしたり、工作をしたり、さまざまな学年が一緒に遊ぶので子どもたちにとっては新鮮で楽しいようです。お昼もみんなで食べて、午後まで預かってくれるところが多く、まさに救世主です。

69

Estate

イスラム文化と15世紀のフィレンツェ　

　ウフィツィが絵画作品を中心とした美術館だとすると、バルジェッロ国立美術館は彫刻を中心とする美術館です。元々、フィレンツェ共和国の司法と刑法を司るポデスタ（行政長官）の住居だった建物に、1574年トスカーナ大公コジモ1世が警察長官の官邸をおきました。以来、死刑囚の牢獄として使われていましたが、メディチ家の後を継いだロレーヌ家のピエトロ・レオポルドにより死刑制度が廃止された後、1865年に美術館となり、彫刻作品や、メディチ家が所有していた陶器、楽器などを展示保存しています。建物の暗い歴史とは裏腹に、展示されている美術品からは、中世からルネサンス時代のフィレンツェの豪華な貴族の暮らしぶりがいきいきと伝わります。ドナテッロ作「ダヴィデ」をはじめ、ミケランジェロ作「バッカス」、1401年の洗礼堂扉のコンクールで制作されたギベルティとブルネッレスキの競作「イサクの犠牲」など、イタリアルネサンス時代の彫刻芸術を代表する作品が展示されていて、見どころが多い美術館です。

　驚くのは豊富なイスラム文化圏の美術品コレクション。15世紀のフィレンツェとイスラムの国々の結びつきは想像しにくいのですが、実は15世紀のフィレンツェはイスラム文化圏の国々と密接な経済関係を保っていました。1400年代後半、ロレンツォ・デイ・メディチ（ロレンツォ豪華王）は中東の美術品を好んで収集していたそうです。昔はヨーロッパ文化と中東文化の交流が今以上に活発であったことを気づかせてくれます。

Estate

商売上手な貴族とワインの穴　　　*no.063*

　　フィレンツェでは、建物の扉の横につくられた木製の小窓をよく見
かけます。これはbuchetta del vino（ワインの穴）と呼ばれ、昔、ワイン
を販売するために使われていた小窓です。17世紀にそれまでトスカーナ
の主な産業であった手工業が停滞しはじめ、貴族たちは郊外に土地
を購入してワインの生産に投資するようになりました。彼らはワインを
フィレンツェの街に運び、「ワインの穴」を利用して販売しはじめます。
買いに来た客は通り側の鐘を鳴らし、使用人がフィアスコ（P.170）と
呼ばれる瓶に入ったワインをこの小窓から差し出し、お金と交換する
のです。酒場よりも安い値段で誰もが気軽にワインを購入できるこの
販売形式は一気に広まりました。市内には今でも180個の「ワインの
穴」が残っていて、その多くはそのままの姿で残っていたり、建物のイ
ンターフォンに姿を変えて再利用されています。

夏時間の楽しみはアペリティーヴォ　　*no.064*

　いつまでも日が暮れないサマータイムの夕方には、気の合う友人と
アペリティーヴォをしたくなる誘惑にかられます。通り沿いのテラス席
でのんびりとカクテルを飲みながら、メインはお喋り。仕事帰りの同
僚らしきグループや、女友達同士、老夫婦など、みんなよく飲んでよく
喋る！ 飲みものをオーダーするとテーブルにおつまみを運んでくれる
店もあれば、ビュッフェ形式のところもあります。ミニサンドイッチや
ライスサラダ、コロッケ、サラミ類など、おつまみだってちゃんとおいしい
ところはさすが、イタリア。cocktail analcoliciというノンアルコール
のカクテルもいくつかあるので、お酒が苦手な人でも大丈夫です。飲み
ものとおつまみがセットで8〜10ユーロ。屋上を夕方だけ解放してアペ
リティーヴォをサービスするホテルもあり、こちらもなかなか魅力的。

床屋ブームが再燃

　1月と6月の年に2回、フィレンツェで開催されるメンズのファション
ウィーク、ピッティ・ウオモがはじまると、普段はあまり見かけないお
しゃれな人々が町中にあふれます。近年断然増えているのが、きちん
と整えたヒゲをファッションアイテムとして取り込んでいるスタイリッ
シュな30〜40歳代の男性たち。フィレンツェでヒゲはファッションとして
もはや市民権を得ているといっていいでしょう。人気ドラマ「Doc」で
医師を演じる人気俳優ルカ・アルジェンテーロも白髪混じりのヒゲ姿が
とても魅力的です。ヒゲ人口が増えたのに比例して、街の中心部にはここ
数年で立て続けに新店舗のbarbiere（床屋）がオープンしました。どの
店も内装がちょっとレトロで、ひと昔前の床屋の雰囲気が漂っていま
す。元々、おしゃれな男性が多いフィレンツェですが、とくにヒゲブーム
がそれに拍車をかけているようです。

フィレンツェはイタリア語の発祥地 *no.066*

　ほかの街で「あ、トスカーナから来たでしょ」といわれることが多々あります。自分では気づかない訛りやアクセントの癖があるようです。それでも「フィレンツェはイタリア語の発祥の地」といわれるのにはふたつの理由があります。ひとつは、「イタリア語の父」と呼ばれたダンテ・アリギエーリがここで生まれたから。彼はそれまで使われていたラテン語にかわる俗語の地位を向上させました。もうひとつは、1583年に設立され今も活動を続けるイタリア語の研究団体クルスカ学会がフィレンツェの郊外にあるから。cruscaとは小麦粉のふすまという意味。粉をふるいにかけて不純なふすまを取りのぞくように、正しくない言葉を取りのぞくという目的で、1612年に最初のイタリア語辞書を刊行して以来、今も活動を続けています。彼らが毎年発表する新語と古語は、イタリア国民の暮らしの変化を反映し、興味深い研究結果です。

75

Estate

夏の名物はズッキーニの花のフライ　　*no.067*

　7月に入りズッキーニが旬を迎える頃、朝市の屋台には、黄色い花の部分も一緒に売られはじめます。ズッキーニの花は新鮮さがいちばん大切。早朝のまだ涼しいうちに収穫し、その日のうちに調理しないと、しおれてしまうのです。調理方法はさまざまですが、もっともポピュラーな食べ方は、fiori fritti（フィオーリ フリッティ）というズッキーニの花のフライでしょう。丸ごと衣をつけてカリッと揚げたり、なかにリコッタチーズやモッツァレラを詰めて揚げたり、いろんなバージョンがあります。いちばんおいしいのは花のつけ根の部分。噛むと心地よい苦味の後に甘みが口のなかに広がります。サクサクのフィオーリ・フリッティは食べはじめるとやめられないおいしさです。レストランのメニューではコントルノ（つけ合わせ）に書かれていることが多いので、見つけたら注文してみてください。夏限定のおいしい一品です。

バリアフリーとフィレンツェ

　フィレンツェの街がバリアフリーか？　と聞かれたら、答えは残念
ながら「No」です。ガタガタでせまい石畳の歩道は車椅子を押して
歩くにはかなり困難だし、車が歩道に乗りあげて駐車していることも
しばしば。段差は多いし、レストランやバールの入り口もせまくて、
車椅子で入れる店を見つけるのはひと苦労です。でももし車椅子で
立ち往生していたら、どこからともなく人がやって来て、サッと手を差し
出してくれるし、店でもせまいながらいろいろ工夫をして居心地のよい
席をつくってくれます。そんな人々のさりげない心づかいは、立派な
インフラ以上に安心感を与えてくれます。だからフィレンツェの住民が
ハンディキャップを抱える人々にやさしいか？　と聞かれたら、答えは
「Si（はい）」だと思います。
　写真はレプッブリカ広場におかれている視覚障害者のためのフィレ
ンツェの街のミニチュア。手で触って街並みを知ることができます。

市場の2階は便利なフードコート　　　*no.069*

　「今晩はピッツァが食べたいな」「魚のフライもよくない?」「僕は肉料理の気分」――ワガママなイタリア人の意見をまとめるのは簡単ではありません。今まではレストランに入って、前菜、プリモ、セコンド、ドルチェとひと通り食べるのが普通でしたが、そんな常識を覆したのが、フィレンツェの中央市場2階に2014年にオープンした Il Mercato Centrale。日本では一般的なスタイルですが、それまでフィレンツェの町中にはフードコート形式の大きな施設がありませんでした。館内には24店舗が並び、パスタやピッツァはもちろんのこと、フィレンツェ名物のランプレドット (モツ煮) や、魚介料理、ビーガンフード、特産キアニーナ牛のハンバーガーなど、いろいろ食べられるのが魅力です。毎日、昼の12時から夜中の0時まで通し営業しているので、早めのディナーを食べたい時にも便利です。

バスタブよりもジェットシャワー

　水道屋の広告でいちばん多いのが、「○ユーロであなたの家の古いバスタブを最新型のジェットシャワーにします」というもの。お風呂の国、日本で育った私は、バスタブがあるのにもったいないと思いますが、イタリア人にとってバスタブは「古い」というイメージがあるようです。イタリアでバスタブを使う時は、浅めに張ったお湯にバスバブルを入れて体と髪の毛を洗い、お湯を抜いた後、シャワーで石鹸を洗い流します。毎回お湯を入れ替えるから、時間がかかるし、消費する水量もシャワーにくらべて多いので、時間節約、お湯の節約という観点からシャワーに軍配が上がります。追い炊きができなくて、すぐお湯が冷めるバスタブに浸かるより、熱々のシャワーのほうがよっぽどあたたまります。どうやら、古代ローマのお風呂文化は完全に忘れられてしまったようです。

中世の救急センターは大聖堂の横　　*no.071*

　　ドゥオーモ広場で、旅行者の間を縫うようにサイレンを鳴らしながら
救急車が出動していく光景に遭遇します。こんなところに救急センター
があるなんて？　と思いきや、実はこのセンターはドゥオーモが建てら
れるより前の1244年から、Misericordia という団体によって運営さ
れているのです。創設時から現在まで約800年間、非営利団体とし
て患者の搬送と病人の自宅介護を継続して行ってきました。ペストが
大流行した1300年代のフィレンツェで、ミゼリコルディアは大きな役
割を果たします。メンバーは「慈悲は匿名であるべし」というモットー
を掲げ、自らの身分を隠すため、頭巾と黒装束姿で靴もサンダルに履
き替えて、貴族も庶民も隔てなく活動をしていました。昔使われていた
服や道具などは、Museo della Misericordia に展示されています。

不格好がおいしいパナッチョ

no.072

イタリアのお菓子やパンは、おいしいけれど見た目は素朴。完璧な
形を求めるよりも、味が優先されます。なかにはbrutti ma buoniとい
う「形は悪いが味はいい」という名前のゴツゴツした無骨な形の焼き
菓子もあるほどです。トスカーナでは普通のパンもかなり素朴な形で
すが、さらに素朴さを誇張したのがpanaccioと呼ばれる伝統的なパン。
材料は一般的な塩なしのトスカーナパンと同じで、小麦粉、水、酵母
のみと、いたってシンプルです。水分が多い緩めの生地を手作業で
成形し、上面をわざとゴツゴツに仕上げるのが特徴。「pane」の語尾
に「〜ccio」がつくと、出来損ないという意味に。こんな不名誉な名前
がつけられていますが、でも実は、このゴツゴツした皮がとってもおい
しい。一生懸命、出来損ない感を出そうとするパン職人の姿を想像する
と、なんとも微笑ましいです。

81

Estate

ジーンズにもアイロンがけ

　気温が上がってくると、億劫なのがアイロンがけです。やらないとどんどん溜まっていくし、でもなかなか取りかかる気分になれない。そんなズボラな私とは違い、イタリア人のマンマたちは夏の暑さにも負けず、大量のアイロンがけをこなします。朝の涼しいうちに、山のような洗濯物と格闘し、Yシャツやシーツ、はたまた靴下に下着、ジーンズだってアイロンをかけてシワをのばしてしまいます。流行りのダメージジーンズにアイロンをかけてしまって、孫に怒られることも。アイロンがけもそうですが、この国では洗濯上手な人が多いと思います。イタリアの水は硬水で、普通に洗濯し続けると白物の服がグレーになってきてしまうのに、干されているのは真っ白なシーツやシャツ。塩、重曹やレモン、または暖炉の灰を使った昔ながらの方法で洗濯物を真っ白にする方法を彼らはよく知っているのです。

歴史を語る街角のアート

　道でタベルナーコロに遭遇したらちょっと足を止めてみましょう。
tabernacolo(タベルナーコロ)とは通りの角の建物の外壁につくられた壁祭壇のこと。
1300年代に普及したこれらの祭壇にはフレスコ画や彫刻の聖母子像
や聖人像が掲げられ、住民や旅人を災害や疫病から守ってきました。
ペストが流行した時代には、感染防止のために教会内でのミサのか
わりにタベルナーコロの前で路上ミサが執り行われていたのだとか。
サンタ・クローチェ地区には囚人が牢獄から処刑場へ移動する時に
前を通った3つの「I tabernacoli dei malcontenti(イ タベルナーコリ デイ マルコンテンティ)」(死刑囚のタベル
ナーコロ)が今も残っています。今でもフィレンツェの暮らしのなかに息
づいているタベルナーコロ。私にとってはお地蔵さんのような存在で
す。夕暮れ時、通りの角のタベルナーコロに灯されたキャンドルにホ
ッとするのは、今も昔も変わらないのでしょう。

ビステッカは最高のご馳走 *no.075*

　トスカーナでメインディッシュの花形といえばフィレンツェ風ビステッカです。骨つきで最低でも4cmの厚みを残した切り方はフィレンツェならでは。夏に庭のバーベキューで豪快に焼いたビステッカがテーブルに運ばれると、思わず拍手がわき起こります。料理家で美食家であったペッレグリーノ・アルトゥージは1891年に執筆した著書のなかで、「肉は炭火で熱したグリルの上で何回かひっくり返し、焼けたら塩と胡椒を振りサーブする。焼きすぎず、切った時に肉汁が皿にほとばしるくらいでなくてはいけない」と書いています。al sangue（レア）でありながらなかまで熱々になる秘訣は、両面に焼き目をつけた後、最後に骨を下にして肉を立てて焼くから。骨を介した伝導熱で肉があたたまるのです。塩はあくまでも焼き上がった後で振ります。肉の焼き方の話題を振ると、みんな持論を述べはじめ、延々と話が尽きません。

人のリズムに合わせた時間の感覚 *no.076*

　イタリア人の時間の感覚は、日本人のそれとは大きく違います。会議が11時からでも実際にはじまるのは10分遅れだし、待ち合わせ時間ぴったりに全員がそろうことは稀です。列車の出発間際に、車掌が扉を開けたまま、走ってくる乗客を待ち、数分遅れで駅から出発することも日常茶飯事。ある時こんなことがありました。始発からバスに乗ったら、出発時刻になっても運転手が不在で、どうしたものか？　と乗客同士で首を傾げていました。すると「ごめん、お昼食べてなくて」と運転手が向かいのバールで買ったパニーノを抱えて戻ってきました。彼が急いでエンジンをかけようとしたら、ふたり組のシニョーラが「いいのよ。食べちゃいなさいよ」といい、結局、ドライバーがパニーノをパクパク食べ終わるのを待ってから、ゆっくりとバスが発車しました。この国では人が時計に合わせるのではなく、社会が人に合わせて動いています。

オルトラルノ地区で人気のフォルノ   *no.077*

　個性的なショップが多いオルトラルノ地区で、内装がおしゃれで、何よりおいしいフォルノ（パン屋）といえばS.forno。閉店した創業150年のパン屋をそのまま引き継ぎ、2014年に新たなスタイルで地域のパン屋としてニューオープンしました。朝からひっきりなしにパンを買いに来る常連客が途絶えないのは、ここで焼かれるパンがとびきりおいしい証拠。パンだけでなく、カウンターに並んでいるチョコブラウニーやレモンタルトなどのスイーツも魅力的で、片っ端から全部味見したくなる衝動にかられます。サラダやクロックムッシュなどもその場でつくってくれ、店内でイートインができるので、散歩途中に軽く食べるのに便利です。イタリア各地から取り寄せられたかわいいパッケージのパスタや瓶詰め、オリジナル雑貨なども売られていて、気のきいたフィレンツェみやげが見つかりそうです。

車につけた「P」は仮免の印

no.078

車で道路を走っていると、後方のガラスに大きな「P」と書いた紙を貼りつけている車を見かけることがあります。これはprincipiante（プリンチピアンテ）（初心者）の頭文字。運転免許の学科試験に通ったら、foglio rosa（フォーリオ ローザ）という１年期限の仮の運転許可証が届き、いよいよ実技講習で、路上での運転練習をはじめます。車の前方と後方のガラスに貼りつけられた「P」マークは、この仮免許期間中である印。1年間有効の仮免期間中に路上の技能試験を受けられるのは3回までで、その間、助手席に乗って指導するのは自動車教習所の教官、または家族も含めて条件を満たした第三者です。普通免許を取得できる年齢は18歳から、自動車免許を取る平均年齢は21歳なのだそうです。若々しいドライバーがPマークつきの車を運転していたら、あたたかい目で見守ってあげましょう。

市民の団結と聖アンナの祝日　　no.079

　夏のセールがはじまり、買いものを楽しむ人々でにぎわうカルツァイウオーリ通りをドゥオーモからシニョリーア広場に向かう途中、右手に四角い建物が見えてきます。ここはオルサンミケーレ教会。おおよそ教会とは思えないようなシンプルな形なのは、元々、教会になる前、この建物が穀物倉庫と小麦市場だったからです。教会内の柱には穀物倉庫の名残として、2階部分から小麦を滑らせて下ろしていた穴が現在も残っています。1304年の火災で1階部分が焼失してしまった後、穀物市場と倉庫はネズミが近寄るからという理由で、街の外側へと移されました。それ以降、ここは聖母マリアの母親、聖アンナを祀る教会となります。内部は、建築家アンドレア・オルカーニャによるゴシック様式の美しい祭壇を窓のステンドグラスから入るやわらかい光が照らし、街の喧騒を忘れさせる静かな空間です。

　1343年7月26日に、当時フィレンツェを支配していたフランス貴族ブリエンヌ家のウォルター6世が、その悪政で市民の怒りを買い、街から追放されました。市民が勝利した記念すべき日が聖アンナの祝日だったことから、聖アンナは聖ジョヴァンニとともにフィレンツェの守護聖人となり、この教会に大衆的な信仰が集まります。その後1370年から、聖アンナの祝日にフィレンツェ共和国政府の要人が、ヴェッキオ宮殿からこの教会までパレードをし、ミサに参加したそうです。やがて長い間廃れてしまったこの行事は、1998年に復興され、現在では毎年7月26日に市長も参加し、特別なミサが行われます。外壁には、Arti（アルティ）と呼ばれる同業者組合の色とりどりの旗が教会を飾り、700年近く前の市民の団結を思い起こさせます。

Estate

フィレンツェの本好きが集う場所

　イタリア人はあまり本を読まないといわれていますが、その一方で、若者世代を中心に熱心な読書好きの層も増えてきているのだとか。本棚から気になるタイトルの本を取り出し、ページを開いて読んでみる楽しみは電子書籍では味わえないもの。サンタ・マリア・ノヴェッラ教会近くの小さなブックショップ、Todo Modoには、老若男女、読書好きなフィレンツェの人々が本との出会いを求めて集います。せまい店内にずらりと並ぶ個性的な本は、カバーを見ているだけでもワクワクするし、気のきいたデザインの文具コーナーも魅力的。髭面のオーナー、ピエトロさんは毎日、入り口横のレジで常連さんが語る最近読んだ本の感想に耳を傾けています。店の奥には知る人ぞ知るバールがあり、本談議に花を咲かせながらお茶をしたりランチを楽しめる心地よいスペースです。ここでワイングラスを片手に、本の世界にどっぷりと浸る午後は、私にとって至福の時間です。

夏のトマトソースは冬のお楽しみ   *no.081*

　7月末、スーパーで完熟トマトが木箱入りで売られはじめると、夏の
訪れを感じます。品種は加熱に適したサンマルツァーノ。山積みのトマ
トの横には保存用の瓶やトマトを潰して、皮や種を取りのぞいたり、ソ
ースにしたりする道具も一緒に売られています。手づくりのトマトソース
はマンマの味。畑はなくてもトマトソースだけは手づくりという家庭
は、めずらしくありません。ヘタを切り落として湯剥きしたトマトを煮
詰めてソースにし、煮沸した瓶に詰め、再度、鍋にかけて真空にしま
す。汁があちこちに飛び散るし、あらかじめ瓶を消毒したりと、結構手
間がかかるものですが、こうしてつくったソースは格別な味わいです。
シンプルなトマトのパスタだって、このソースを使えば絶品。真冬に、
夏の間につくって保存しておいたトマトソースの瓶をパカッと開けると、
ふわりとトマトの香りが漂い楽しかった夏を思い出させてくれます。

中世のストリートアート

　レプッブリカ広場とヴェッキオ橋の間、イノシシの噴水で有名な新
市場の手前のカリマーラ通りには、夏のきびしい日差しにも負けず、一
心に地面に絵を描いている人たちがいます。描きはじめはただの落書き
のように見えるのに、少しずつ、地面から名画の一部が出現する様子
は魔法のよう。アスファルトの地面にチョークだけで描いたとは思え
ない素晴らしい仕上がりです。テーマのほとんどは聖母マリアや天使
などで、レオナルド・ダ・ヴィンチやボッティチェッリなどの作品の一部
を模写したもの。madonnaroと呼ばれるこうしたアーティストたちは
昔からイタリア中に存在していて、街や村を転々とし、教会の前に聖母
や聖人の絵を描いて生活をしていたのだそうです。チョークで描かれ
ているから、どんな傑作も、雨が降ったり、清掃車が通ると消えてな
くなってしまう儚い芸術。ここを通る時、心を打つ美しい作品に出会
えたら、それは素晴らしい偶然なのです。

量り売りでワインを買おう

　ワインというと通常、ラベルがついたボトルで売られているのを思い
浮かべますが、フィレンツェの街にはvino sfusoと呼ばれる量り売りのワ
イン屋が何軒かあります。空瓶を持ち込むと、それに好きなワインを樽
から直接注いで売ってくれるのです。瓶をリサイクルできるし、何より
おいしいワインをリーズナブルな値段で買えるので、家の近くに量り売
りのワイン屋があるととても便利。キッチンの片隅にワインの空き瓶が
増えてきたら、週末、ワイン屋に行くのが待ち遠しくなります。街中に
あるいくつかの量り売りのワイン屋をご紹介しましょう。

◎Olio e Vino Sfuso（オーリオ・エ・ヴィーノ・スフーゾ）
　Via Vincenzo Gioberti 3R, Firenze
◎Bacco Nudo（バッコ・ヌード）　Via dei Macci 59R, Firenze
◎Il Santo Vino（イル・サント・ヴィーノ）　Borgo Tegolaio 46R, Firenze
◎Cantina Ricca（カンティーナ・リッカ）　Via del Romito 28R, Firenze

ミステリー小説は「黄色い本」

　夏のビーチに持っていきたいミステリー小説は、イタリアでももっともポピュラーなジャンルです。登場人物が読者と一緒に謎解きをしながらストーリーが展開していくこの分野の作品を、イタリア語でlibri^{リーブリ}gialli^{ジャッリ}（黄色い本）と呼びます。1929年に出版社のモンダドーリ社が推理小説シリーズを出版しはじめた時、このシリーズの表紙がいつも黄色であったことから、推理小説やミステリー小説を「黄色い本」と呼ぶようになったのでした。イタリアの推理ものでとても人気があるのが、テレビドラマシリーズにもなったアンドレア・カミッレーリ著「Il^{イル} comissario Montalbano^{コミッサーリオ　モンタルバーノ}」シリーズ。シチリアの架空の街ヴィガータを舞台に起こる事件をモンタルバーノ警部が解決するという作品で、全編シチリア方言で書かれているので、この本に夢中になってシチリア方言にくわしくなった人もきっといるはず。

ブオーネ・ヴァカンツェ！

　大部分のイタリア人が夏のヴァカンスに出かけるのは8月。ずらして
休みが取れる人は、混雑を避けて7月や9月に休暇を取りますが、たい
ていは、多くの会社が夏季休業に入る8月半ばの2週間に夏休みを取
ります。だから7月後半は何だかみんなソワソワしていて、同僚や友人
同士の話題はもちろん「今年のヴァカンスはどこに行く？」。ビーチで
は初日から夏らしく日焼けした肌になっておきたいというイタリア人の
美意識からか、ヴァカンスに行く人は6月頃から日焼けサロンに通い、
すでにこんがり小麦色になって準備万端です。7月中旬は「ヴァカン
スに行く前にみんなで会っておこう」と、まるでしばしの別れを惜しむ
かのように、食事やアペリティーヴォの誘いが友人からひっきりなしに
入ってきます。ご近所さんや親しい友人たちとの別れのあいさつは
"Buone Vacanze!"（よいヴァカンスを！）。

天然石が描き出す美しい世界 no.086

　繊細な色彩の組み合わせで描き出される動物や花のモチーフ、フィレンツェの風景。天然石の自然な色や模様をいかして絵を描く手法をcommesso fiorentino（コン　メッ　ソ　フィオレンティーノ）と呼びます。石を使った象嵌工芸（ぞうがん）は、16世紀半ばからすでに存在していましたが、1588年にフェルディナンド1世がトスカーナ大公直営の工房「Opificio delle Pietre Dure（オピフィーチョ　デッレ　ピエトレ　ドゥーレ）」を創立し、この手法を用いた装飾品を他都市へ輸出するための伝統工業として開花しました。現在ここは、美術品修復の研究機関と象嵌工芸作品の美術館になっています。約500年経った今でも市内にはいくつかの工房が残っていて、職人技を実際に見学することができます。かたい素材である石を手作業で切断し、いきいきとしたやわらかい表現を生み出す様はまるで魔法のようです。豪華なテーブルも素敵ですが、額縁に入れられた小さな作品も、可憐で愛おしい魅力があり、手元において、いつまでも大切に飾っておきたくなります。

テラスカフェで街の絶景を楽しむ　　*no.087*

　お茶をしたり、アペリティーヴォを楽しめる眺めのいいテラスカフェ
が街のなかにあります。初夏の青空の下でフィレンツェのレンガ屋根
を愛でながら、のんびり過ごせる店をご紹介しましょう（写真はカッフ
ェ・デル・ヴェローネ）。

◎Caffè del Verone（カッフェ・デル・ヴェローネ）
　サンティッシマ・アヌンツィアータ広場にある捨て子養育院美術館の5Fにあるカフェ。
　その昔、孤児院だった時代には物干し場でした。ドゥオーモとシナゴーグのクーポラ
　が見えます。

◎La loggetta di Villa Bardini（ラ・ロッジェッタ・ディ・ヴィッラ・バルディーニ）
　バルディーニ庭園の上の開廊です。美しい庭園とその向こうにフィレンツェの街全体
　が眺められる素敵なカフェ（P.60写真）。

◎SE.STO ON ARNO（セ・スト・オン・アルノ）
　オンニサンティ広場に面したホテル、The Westin Excelsiorの最上階にあるルーフ
　トップカフェ。日没時の絶景が素晴らしく、夕日に染まるアルノ川は唯一の眺めで
　す。ハイシーズンはかなり混むので予約を。

VIVA! パッパ・アル・ポモドーロ *no.088*

　畑のトマトがおいしく熟れる7月の終わりから8月に、ランチのメニュー
によく登場するのがパッパ・アル・ポモドーロです。細かくみじん切り
にした玉ねぎ、セロリ、人参をオリーブオイルで炒め、湯むきトマトを
加えてグツグツと煮込み、トマトの水気がとんで煮詰まったら、水に
ふやかしておいたかたいパンを絞って入れます。さらに煮込んで出来
上がり。パンが入ると味が抜けるので、トマトソースをしっかり煮詰め
て、味つけを少し濃いめにするのがおいしくつくるコツです。「パッパ」
とは赤ちゃんが食べものを指して「まんま」というような幼児語。この
一品をテーブルに並べると、みんな、子ども心に戻って「Viva la pa,
pa, pappa Col po, po, po, po, po, po, pomodoro!」と60年代のイタ
リアのヒット曲を歌いはじめます。ひと口食べたら私もViva! と幸
せになる、とびきりおいしいフィレンツェの夏の定番料理です。

地元びいきは生まれつき

　トスカーナの州都であるフィレンツェですが、フィレンツェ人はトス
カーノ（トスカーナ人）としてくくられるよりも、フィオレンティーノ（フィ
レンツェ人）としてのアイデンティティがとても強いのです。生粋のフィ
レンツェ人の友人はまるで原産地認定のワイン（DOC）みたいに、「僕
はフィオレンティーノDOCだよ」と誇らしげにいいます。フィレンツェ
に限らず、どんなに小さな村や街でも人々は自分の街に誇りを持って
いて、それは時に、ライバルの街を皮肉ったり、毛嫌いする風習に姿を
変えます。それぞれの街の中心に必ずある大聖堂の鐘楼（campanile）
に由来するカンパニリズモ（郷土愛）という言葉は、そんなイタリア中の
街や村の住民たちの地元贔屓主義をよくあらわしています。

歴史ある邸宅が連なる優雅な通り

　フェラガモ、エルメス、グッチ、プラダなど有名ブランド店が軒を連ねるトルナブオーニ通りは、アンティノーリ広場とアルノ川の手前サンタ・トリニタ広場の間にあります。2021年にサンタ・マリア・ノヴェッラ薬局の新店舗がオープンし、この通りはファッションストリートとして、ますます華やかさが増しました。

　この通り沿いには15世紀から18世紀までに建てられたpalazzo storico（歴史ある邸宅）と呼ばれる13の建物が並び、そのほとんどが地上階はブティック、上はオフィスやホテルになっています。きらびやかなウインドーの間に、ちらりと見える美しいフレスコ画が施されたエントランスが、素敵な邸宅の内装の豪華さを物語っています。貴族の馬車が頻繁に往来していた華やかな16世紀のトスカーナ大公時代のフィレンツェを想像しながら、ゆったりと散歩をしてみましょう。

この印を目指して歩いて行こう

　今、イタリアはトレッキングブーム。とくにパンデミック後は、自然を楽しみながら山のなかを歩く人々が増えました。フィレンツェからちょっと郊外に出ると、自然の森がたくさんあり、さまざまなレベルのトレッキングコースが容易に見つかります。携帯電話の電波が入りにくい場所が多いので、事前にルートを確認しておくと安心です。きちんと整備されているトレッキングコースは少なくて、時には木々が茂った道なき道を歩くこともあります。そんな時に便利なのが岩や木の幹にペイントされた赤と白の印。これはCAI（Club Alpino Italiano）が管理している道標で、分かれ道でどちらに行ったらいいかを示します。道端に石が積まれていたら、それはometto di pietra（石積み）。同じく正しい道である印です。「迷ったかも？」と思っても大丈夫。これらの印が進むべき方角を示してくれます。

子どものおやつはワインを浸したパン　　*no.092*

　フィレンツェ人の友人たちと「小さい頃に食べていた懐かしいおやつ」の話をした時、ひとりは、「家に帰っておばあちゃんがよくつくってくれたのが、pane e pomodoro（パーネ エ ポモドーロ）だったわ」と教えてくれました。パーネ・エ・ポモドーロはパン切れにトマトを擦りつけて、オリーブオイルと塩を振りかけたもので、今でも子どもたちに人気です。別の友人が好きだったおやつはpane e cioccolato（パーネ エ チョッコラート）。ソフトパンに板チョコをそのままサンドして食べていたのだとか。そして全員がいちばん懐かしいおやつとしてあげたのがpane, vino e zucchero（パーネ ヴィーノ エ ズッケロ）。トスカーナパンの表面を赤ワインで濡らして砂糖を振りかけたものです。これを普通に子どもに食べさせていたというからびっくりです。どんな味なのか試してみたら、ジャリジャリした砂糖の食感が素朴で、意外にもクセになりそうなおいしさでした。

フィレンツェでもっとも古い橋 *no.093*

　ウフィツィ美術館からピッティ宮殿へ行く時、必ず渡るのがヴェッキオ橋（ポンテ・ヴェキオ）。ヴェッキオとは古いという意味で、その名の通り、フィレンツェで最初につくられた橋です。元々ローマ時代にすでに木の橋があった場所に、3つのアーチで構成された頑丈な石づくりの橋がつくられたのは1345年のこと。上部は幾度もの洪水で破壊されたものの、橋脚は建造当時のオリジナルが現在も残っています。1442年から橋の上は肉や野菜を売る街の食料市場として利用されるようになりましたが、市場から出るゴミの悪臭のため、1594年にフェルディナンド1世・デ・メディチの命により、金銀や宝石細工を扱う店に差し替えられ、今もそのまま宝飾品店が並んでいます。1944年にドイツ軍によってフィレンツェのすべての橋が爆破された際にも、このヴェッキオ橋だけは幸い残されました。時代により姿は変えてきたものの、その名を裏切らずに常に人々の暮らしのなかに存在し続けている歴史ある橋です。

リストランテの暗黙のルール

　ピザ屋やツーリストが多い店は別ですが、通常、リストランテやトラットリアでは、ワインとビール以外でノン・アルコール飲料というとミネラルウォーターしかおいておらず、選択肢はガス入りの水か、ガスなしの水かのみです。食事中にソフトドリンクを飲まないというのは、大半のイタリア料理のリストランテでの暗黙のルール。確かにたいていのソフトドリンクはイタリア料理に合うとはいえないかもしれません。そして最大のタブーは、食後のカプチーノ。食事の後で、最後にカプチーノをオーダーする外国人ツーリストによく遭遇しますが、多くの店では、頑固にエスプレッソコーヒーのみを出しています。食のグローバル化の波が押し寄せて来ていますが、食の暗黙のルールはこの国にしっかりと根づいている食文化のひとつです。

世紀末の優美をトスカーナで感じる   *no.095*

　トスカーナに残る美術品や建造物は、ルネサンス時代のものばかりではありません。フィレンツェから海側に1時間半ほど行った場所にあるルッカやヴィアレッジョには、19世紀末にヨーロッパで広まったアール・ヌーヴォーやアール・デコ様式の建物が多く残っていて、当時の華やかな雰囲気を今に伝えています。アール・ヌーヴォー様式はイタリア語でstile Liberty（スティーレ リーベルティ）と呼ばれています。作曲家ジャコモ・プッチーニが黄金期を過ごした別荘がすぐそばにあるヴィアレッジョの海岸沿いには、優雅な曲線をいかした装飾が施された邸宅が並んでいます。そのなかのひとつがGran Caffè Margherita（グラン カッフェ マルゲリータ）（写真）。芸術家ガリレオ・キーニがタイ旅行で目にした建築様式をアール・デコスタイルに取り入れた建物は、現在もブックショップを併設したクラシックスタイルの素敵なカフェとして営業しています。

無料で飲める市長の水 no.096

　どの都市でもプラスチックゴミの増加は頭が痛い問題。フィレンツェ
も例外ではありません。分別して再生すればいいという意見もありま
すが、理想は、ゴミになるプラスチックの容器を利用する習慣自体を
なくすことでしょう。俗にacqua del sindaco（市長の水）といったら、そ
れは水道水のこと。フィレンツェの水道水は飲料水としての水質基
準を保っているので、そのまま飲めるのです。また、市内各所の飲料
水用の給水ステーションでは、無料でボトルに水や炭酸水を汲むこ
とができます。このシステムのお陰で、最近ではスーパーでボトル入り
の飲料水を買う人をあまり見かけなくなりました。数年前にはヴェッキ
オ宮殿の横に給水ステーションが設置されました。バールでわざわ
ざ高いペットボトル入りの水を買わなくても、マイボトルさえあれば、
無料で飲み水をチャージできますよ。

時代で変わるメディチ家の紋章

　教会や宮殿で見かける6個の玉がつけられたエンブレムは、メディチ
家の紋章です。玉の由来にはさまざまな説がありますが、有力なのは、
元々はメディチ家が薬商人であったという伝承から、紋章の丸い玉は
丸薬をあらわし、家名は薬を意味するmedicinaという言葉に由来し
ているという説です。メディチ家の380年間の歴史のなかで、紋章は時
代ごとに変化しました。初代ジョヴァンニ・ディ・ビッチ・デ・メディチ
の時代は11個だった玉の数は、コジモ・イル・ヴェッキオの時には8
個、ロレンツォ豪華王の時代には6個に減ります。カテリーナ・デイ・メ
ディチがフランス王家に嫁いだ時にはいちばん上の玉が青色になり、そ
の玉にフランス王家の紋章の百合が3つあしらわれるようになりまし
た。コジモ1世の時代以降にはトスカーナ大公の冠が上にのせられま
す。時代により姿を変えたメディチ家の紋章は、いまもなお、街のあち
こちに残っています。

夜のフィレンツェは別世界 no.098

　暗くなっても安心して歩けるのがフィレンツェのいいところ。日が暮れて薄暗くなりはじめた頃、ポツポツと街灯が灯り、街は昼間とは違う別の表情を見せてくれます。規制により店舗のネオンサインがほとんどないので、シンプルなライティングで照らされる歴史建造物の美しさがより引き立ちます。昔から使われていたオイルランプにかわり、街に最初のガス燈が灯ったのは1845年9月1日のこと。この記念すべき瞬間に集まった人々は街灯の下でわざわざ新聞を広げたのだそうです。1887年5月12日にはドゥオーモの新ファサード完成記念式典で、はじめて電気の照明がつけられました。現在は、街の教会や宮殿などの主な建物の照明にLEDライトが使われています。フィレンツェで夜景を楽しむのなら、見晴らしのいいミケランジェロ広場がおすすめです。日没後、眼下に広がる街の夜景に、ドゥオーモやヴェッキオ宮殿、サンタ・クローチェ教会がライティングで浮かび上がる様は圧巻です。

イタリア人はビールも大好き

　ワインの国というイメージがあるイタリアですが、ピッツァを食べる時
は大半の人がビールを注文します。ピッツェリアではアルコール度数8%
以上の飲みものを提供できなかった1950年代に、低アルコール飲料と
してビールが出されるようになり、「ピッツァにはビール」という概念が
定着したのだとか。最近はスーパーの酒売り場でもイタリア各地の地ビー
ルコーナーが充実していて、オーストリア国境に近い地域はもちろ
ん、トスカーナの小規模なビール醸造所でつくられる地ビールも簡単に
手に入るようになりました。近年、フィレンツェの南側にクラフトビール
をつくる小さな醸造所Birrificio Oltrarnoがオープンしました。ここでは
周辺地域で栽培したホップとオーツ麦を使ったフィレンツェ発のビール
をつくっています。フィレンツェのクラフトビール市場はまだまだ盛り上
がりそうです。

「パスタ」がおいしいバールを選ぼう　　*no.100*

　pastaと聞くと、すぐにスパゲッティなどの麺類が頭に浮かびます
が、イタリアでは、ブリオッシュ（日本でいう甘いクロワッサン）のような
朝食用の甘いペストリーのこともpastaと呼びます。お菓子好きの友
人とおいしいバールの話をすると、しきりと「ああ、あの店のパスタはお
いしいよね」というので、彼にとっておいしい店のバロメーターは朝の
パスタがおいしいかどうかなのでしょう。旅先で朝食を食べるバール
を選ぶ時、私は必ずBar Pasticceriaの看板を探します。これは、お
菓子屋（Pasticceria）がやっているバール。そしてさらにProduzione
Propria（自家製）と書かれていたらベストです。そこで直接つくって
いるのだから絶対おいしいはず。早朝からカウンターにずらりと並べ
られた香ばしい焼きたてのパスタに出会えたら、幸せな1日がはじまり
そうです。

110

Estate

都会のなかの大自然、ボーボリ庭園 no.101

　1550年、トスカーナ大公コジモ1世と妻のエレオノーラ・ディ・トレド
は、手狭になった10年来の住居、ヴェッキオ宮殿を離れ、川の反対側
のピッティ宮殿を購入し、そこに住まいを移します。その際につくられた
のがボーボリ庭園でした。子だくさんだったふたりの間には、当時、1歳
から10歳まで7人の子どもがいたので、庭園はさぞかしにぎやかだっ
たに違いありません。45000㎡という広大な敷地内に緩やかな丘の
斜面を利用し、左右対称に生垣と彫像を配置したイタリア式庭園が
つくられました。丘の頂上からは、ピッティ宮殿とフィレンツェの市街地
を見下ろす素晴らしいパノラマを楽しむことができます。庭園というつく
られた空間のなかで大木を配置した深い森や、彫刻家ベルナルド・ブオ
ンタレンティによる人工洞窟など、街のなかでありながら、訪問者が大
自然を体験することができるよう、さまざまな工夫が施されています。

夏の夜はフィエーゾレの野外劇場へ　　*no.102*

　フィレーゾレはフィレンツェの街ができるはるか前、高い場所を好ん
で住んでいたエトルリア人によって築き上げられました。今は静かな
街ですが、ローマ時代には温泉や市場、野外劇場が建てられ、重要
な空中都市だったそうです。サン・フランチェスコ修道院に続く急な上り
坂の途中には、フィレンツェの全貌を眺められるビューポイントがあ
り、アルノ川に沿って広がる街の様子がよくわかります。毎年、夏休み
の時期には、フィエーゾレの野外劇場でEstate Fiesolana[エスターテ フィエゾラーナ]というイベ
ントが開催され、クラシック、ジャズ、朗読、演劇、バレエなど公演さ
れるジャンルは多岐にわたります。ローマ時代につくられた半円形の劇
場で、涼しくなる夕暮れから夜にかけて、糸杉を背景に、月明かりに
照らされて浮き上がる舞台は独特の雰囲気です。

Autunno

秋

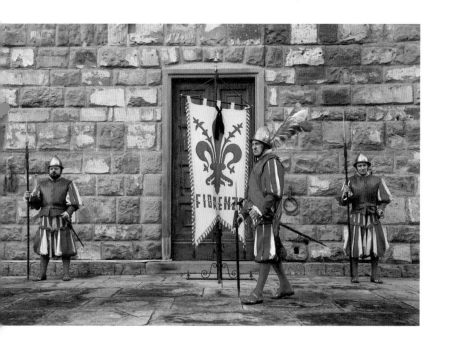

街のシンボルは百合？ アイリス？　　　　*no.103*

　白地に赤い花を描いたフィレンツェの紋章は、Giglio Fiorentino（ジーリオ フィオレンティーノ）
と呼ばれ、市のシンボルとして、市役所や警察などで、今も使われて
います。イタリア語ではジーリオは百合を指しますが、フィレンツェの
方言ではアイリスを意味することがあり、紋章の花はアイリスなので
す。元々は赤地に銀色の花でしたが、11世紀に勃発した市民戦争で
教皇派グエルフィが皇帝派ギベッリーニに勝利したため、1266年に
花の色がグエルフィ派のシンボルカラーのである赤に変わります。そ
の後、紋章のデザインはほぼ変わらず、1811年には、当時フィレンツ
ェを支配していたフランス政府がナポレオンの紋章である蜂を花の上
にあしらったデザインの変更を提案したものの、フィレンツェ市はそれ
をあっさりと却下。赤いアイリスは、ただのシンボルマークではなく、
フィレンツェ人にアイデンティティを感じさせるものなのです。

秋の訪れはポルチーニ茸とともに

　9月半ば頃から、朝市の野菜の屋台では大小さまざまなポルチーニ茸が店頭に並びはじめます。リストランテのウインドーでもこれ見よがしに大きなポルチーニ茸がかごに飾られていて、メニューには前菜からセコンドまでfunghi（フンギ）の文字が並びます。イタリア語でフンギはキノコの総称ですが、秋のトスカーナでフンギといえばポルチーニ茸です。前菜はpolenta fritta con i funghi（ポレンタ フリッタ コン イ フンギ）（ソテーしたポルチーニ茸をのせた揚げポレンタ）、プリモはtagliatelle ai funghi porcini（タリアテッレ アイ フンギ ポルチーニ）（ポルチーニ茸のタリアテッレ）、セコンドはtagliata ai funghi（タリアータ アイ フンギ）（牛のカットステーキの上にスライスしたポルチーニ茸のせ）、そして付け合わせはfunghi fritti（フンギ フリッティ）（ポルチーニ茸のフライ）とポルチーニ茸づくし。これから待ちに待った秋の味覚、ポルチーニ茸の季節の到来です。

チブレオ・カフェ

no.105

　私にとってCibreo Caffè(チブレオ カフェ)は古いものを大切にし、エレガントであり
ながら、でも飾り立てない気軽さをあわせ持ち、もっともフィレンツェら
しさを感じさせてくれる店です。サンタンブロージョ市場の真横にあ
り、一日中客が途絶えません。午前中はコーヒーブレイクをしにくる職
人たちや、遅めの朝ごはんを食べる朝市帰りのシニョーラのお喋りで
店内はとてもにぎやかです。額装された芝居のポスターが飾られてい
たり、椅子が映画館の座席だったりするのは劇場をイメージしてつく
られたから。ランチとディナーでは、向かいにあるリストランテと同様
に、先代のオーナー、ファビオ・ピッキが遊び心をたっぷり加えてアレ
ンジしたフィレンツェの郷土料理を楽しむことができます。締めくくりの
デザートには、この店名物のtorta al formaggio con marmellata di(トルタ アル フォルマッジョ コン マルメッラータ ディ)
arance amare(アランチェ アマーレ)（ほろ苦いマーマレードを添えたチーズケーキ）がおすすめ
です。

歴史的価値と住みやすさのバランス　*no.106*

　この街に暮らして何年経っても、ミケランジェロ広場からフィレンツェを一望するたびに、街並みの美しさに心を打たれます。外環道路の内側の全域を占めるcentro storico（歴史地区）は、1982年にユネスコの世界遺産に登録されました。石畳を残し、古い建物をそのままの姿で保存する徹底した姿勢には感心します。一方で、この街並みをキープするためにさまざまな住民の苦労があります。暑い夏、冷房をつけたくても外壁に室外機を設置する許可が下りない。4階建てでもエレベーターがある建物はごくわずか。いまだにテラコッタ製の下水溝を使っている建物もあり、雨が降ると汚臭が漂います。エネルギー問題が浮上してきた近年でも、景観問題のために、屋根にソーラーパネルを設置することはできません。快適さと街の景観を天秤にかけたら後者を優先してしまうのが、ルネサンスの街フィレンツェなのです。

Autunno

門限に間に合わなかったら

　街のまわりに城壁があった時代の名残として、フィレンツェには7つの大きな門が残っています。1848年に門の開閉制度が廃止されるまで、毎日、街に入るための扉は夜になると閉じられていました。門番が扉を3度叩いて門限の1時間前であることを知らせると、旅人たちは大急ぎで門を目指しました。一度閉められた扉は朝まで開かないので、遅れた人々は門番に賄賂を払ってこっそりと通用門から入れてもらったのだとか。それでも入れなかった旅人のために、門の外側には宿や食堂がたくさんありました。扉の鍵は4人の兵士が回収し、朝まで保管していました。翌朝、彼らが再び鍵を返却する頃には、扉の前に長い行列ができていたそうです。イタリアでは街に大きく貢献した人物に市長が「街の鍵」を送る習慣があります。今となってはシンボリックな価値しかありませんが、城壁の門の鍵を手にするということは、最高の権限を持つことを意味します。

掘り出しものの価値は人それぞれ　*no.108*

　フィレンツェの蚤の市は通常、週末に行われます。それぞれの店は、家具、食器、雑貨、衣類など専門分野に分かれていて、高価な骨董家具からガラクタまで何でもあり。真鍮の鍵や蹄鉄、昔の電話機やテープレコーダーなど、使い道がさっぱりわからないものも売られていますが、それを買って何に使うの？　などという野暮な質問はなし。価値があるかないかは人それぞれなのです。フィレンツェで開催される主な蚤の市をご紹介します。

◎Fiera di Piazza Santo Spirito (サント・スピリト広場の市)
　　毎月第2日曜日　サント・スピリト広場
◎Ciompi Mensile Antiquariato (チョンピの骨董市)
　　毎月最終日曜日　ロレンツォ・ギベルティ広場
◎Indipendenza Antiquaria (インディペンデンツァ骨董市)
　　毎月第3土曜日と日曜日　インディペンデンツァ広場

イノシシなフィレンツェ人

　フィレンツェみやげのデザインにも登場するイノシシ。街の郊外の丘や森に多数生息していて、トスカーナ州全域でも身近な野生動物です。畑を荒らすので、生産農家にとってこの害獣対策は常に頭の痛い問題です。駆除も兼ねて、秋から冬にかけて行われるイノシシ狩りの季節には各町や村でsagra del cinghiale（イノシシ祭り）と称し、公民館で地元の猟師グループが仕留めた獲物を調理して振る舞うイベントが開催されます。おいしいイノシシ料理が手頃な値段で食べられるので私も毎年楽しみにしています。泥だらけで畑を荒らしまくる姿から、粗暴な人をcignale（フィレンツェ方言でイノシシの意味）と呼び、自虐を込めて自分たちのことをチニャーレと呼ぶこともあります。でも食べるとおいしいイノシシは、ある意味、この街で愛されている動物といっていいのかもしれません。

120
Autumnae

秋を告げる葡萄のスキアッチャータ *no.110*

　ワイン用の葡萄の収穫がはじまる頃、パン屋には切り売りの
schiacciata con l'uva が並びます。このお菓子には、トスカーナで
昔から栽培されているカナイオーロという品種の葡萄が欠かせませ
ん。この小粒で種入りの葡萄を洗って水気を取り、オリーブオイル
と砂糖を振りかけて混ぜます。これを上下に分けた生地ではさみ、
生地の上面にもぎゅうぎゅうと押しつけ、オリーブオイルを塗り、残り
の砂糖を振りかけます。そのままさらに発酵させて、オーブンで焼き
上げます。意外とむずかしいのが生地の分量。これは好みですが、
分厚くパンっぽくするよりも、できるだけ生地を薄めにして葡萄をた
くさん使ったほうが、本来のスキアッチャータらしく焼けると思いま
す。葡萄の汁だらけになるし、種がガリガリと歯に当たるし、食べるの
は厄介だけれど、おいしい秋のお菓子です。

フィレンツェのお茶専門店

　イタリア人の大部分はコーヒー派だけれど、一部、お茶を好む人もいます。我が家でも友人を招いた夕食の席では、食後にコーヒーとハーブティーを両方用意しています。フィレンツェに住むお茶派に長く愛されている店がLa Via del Tè。市内に3店舗あり、コンドッタ通り店はショップのみ、サント・スピリト通り店にはティーサロンがあり、ゆったりと午後のお茶を堪能できます。ロレンツォ・ギベルティ広場店は1997年に開店した1号店。この店がフィレンツェにお茶文化を広めたといってもいいでしょう。世界中から輸入された茶葉が店内にずらりと並び、その数は250種類以上。数年前に北イタリア、ピエモンテ州のマッジョーレ湖近くの栽培農家と一緒に茶葉の生産プロジェクトを立ち上げ、イタリア産の緑茶、紅茶を販売しはじめました。イタリアのお茶市場はまだまだ多くの可能性がありそうです。

イタリア初のデジタル時計　　

　毎日何気なく見ているサンタ・マリア・ノヴェッラ駅の時計。実はイタリアで最初につくられた電気仕掛けのデジタル時計なのです。パタパタ時計とも呼ばれ、パネルが回転し時間を表示するこの時計は、駅の建築も手がけた建築家ネッロ・バローニにより1935年につくられました。文字盤と針で時間を示すアナログ時計にかわり、このデジタル時計の登場で、分刻みで時間を把握できるようになり、列車に乗り遅れる人が少なくなったそうです。フィレンツェの人々が時間に正確になったのは、この時計のお陰かもしれません。駅構内のすべてのパタパタ時計は電線でつながっていて、毎分、時間を合わせる複雑な構造です。建物も時計もファシズム時代のイタリア合理主義の建築様式で大切な遺産。残念ながら駅構内の切符売り場にある時計は現在止まっていますが、市民グループが市長に修復を要請しているそうです。

看板が伝える街の思い出

　サンタ・クローチェ地区のギベッリーナ通り63R番には、macelleria
（精肉店）と書かれた大理石の看板を掲げた店があります。でも店内は
たくさんの本が並んでいる古本屋。古い看板を残す習慣は割と一般
的で、昔の業種の看板が残っている場所がいくつかあります。よく見る
のがlatteriaで、牛乳屋のこと。瓶入りやパック入りの牛乳が登場する
前、人々は容器持参でこの店に量り売りの牛乳を買いに来ていまし
た。今は普通の住宅になっている建物の入り口にはparrucchiere（美
容室）と刻まれた大理石パネルが残っています。昔、この店をめぐって
どんなストーリーがあったのでしょう？　変わらないようでいて少しず
つ変化しているこの街で、残された看板が古い想い出を今に伝えてく
れています。

サンタ・トリニタ橋と人々の根気

　ヴェッキオ橋の西隣、優雅な佇まいのサンタ・トリニタ橋はコジモ
1世の命を受けた建築家バルトロメオ・アッマンナーティにより1571年
に完成しました。橋の中央に飾られている楕円形のパネルの下には巨
大な雄羊の頭が彫られています。ヴェッキオ橋側の上流方向に向いて
いる雄羊は「アルノ川の洪水」から、下流方向に向いている雄羊は
「ピサ軍の攻撃」からフィレンツェの街を守る意味合いがあるのだと
か。この橋は1944年に撤退中のドイツ軍によりほかの橋と同様に爆破
されてしまい、戦後、人々はアルノ川に沈んでしまったオリジナルの瓦
礫を集めて、1958年に元どおりに修復をしました。橋のたもとの女性
像「春」の頭部も川のなかから発見され、1961年に元の位置に戻され
たそうです。新しくつくり直すのではなく、時間をかけて集めた瓦礫で
元どおりにしてしまうフィレンツェの人々の根気と執念には脱帽です。

スカルペッタは禁止？ *no.115*

　とってもおいしい料理に出会って、ソースがお皿に残ってしまった
ら？ 自宅だったらテーブルパンをちぎり、ソースに浸して口に運びます。
この最後のひと口がたまらなくおいしい。パンをつまむ指先の動きが
つま先でちょいちょいと地面をなぞる足に似ていることから、イタリア
語でこの仕草をscarpetta（小さい靴）と呼びます。テーブルマナーとして
はNGなのですが、くだけた席ならある程度はOK。例外はあります
が、フィレンツェの伝統料理を出す大半のトラットリアはあまり形式張
った雰囲気ではないので、もしソースがとてもおいしくて、スカルペッ
タをしたくなる誘惑にかられたら、パンを片手にソースをちょっとなぞ
ってパクッと口に運びましょう。おいしいトスカーナパンと煮込み料理
の濃厚なソースの相性はぴったりです。ただし、お皿を持ち上げたり、
ピカピカになるまでのやり過ぎは禁物ですが。

Autunno

ともに人生を駆け抜けよう

　　毎年9月末の週末に、フィレンツェで大規模な市民マラソンCorri la Vita（コッリ ラ ヴィータ）が開催されます。このイベントは2003年にはじまり、今年で開催20周年を迎えます。「人生を走ろう」と名づけられたこのチャリティマラソンには、毎年3万人以上のフィレンツェ市民が集まり、収益金は乳がんの無料スクリーニングや乳がん患者の支援のために寄付されています。カッシーネ公園からスタートし、フィレンツェの街のなかを走る10㎞と6㎞の2コースがあり、参加者にはフェラガモ社デザインの特製Tシャツが配られます。マラソンの開催日は終日、このTシャツを着た参加者は、市内の多くの美術館で入館料が無料になるのだそうです。タイムを競うマラソンというよりも、乳がん撲滅のために、老若男女問わず、「街が一体となってともに意思表示をしながら走る」という意味合いが強いイベントです。

メディチ家の栄華を今に伝える　　*no.117*

　メディチ家はフィレンツェがもっとも華やいだ380年間、街の歴史と並行して存在し続けました。1434年に銀行家ジョヴァンニ・ディ・ビッチの息子コジモ・デ・メディチがフィレンツェの政治の実権を握り、彼らの経済力は15、16世紀のイタリアルネサンス文化の繁栄に大きく貢献します。

　一族の墓標としてコジモ・デ・メディチの依頼で、メディチ・リッカルディ宮殿の裏に建てられたサン・ロレンツォ教会には、初代から末裔までメディチ家一族全員が埋葬されています。この教会の後方にあるのがメディチ家礼拝堂。ここでは、クリプタと呼ばれる地下聖堂、ミケランジェロが設計し制作した新聖具室、そして「君主の礼拝堂」を見学できます。　歴代のトスカーナ大公の霊廟としてつくられた「君主の礼拝堂」は初代トスカーナ大公コジモ1世（コジモ・デ・メディチ）の案でしたが、着工されたのは息子の第3代トスカーナ大公フェルディナンド1世の時代になってからのこと。長い歳月をかけてつくられたこの礼拝堂に足を踏み込むと、隙間なく壁面を飾る絢爛豪華な象嵌細工（P.96）に圧倒させられながらも、グリーントーンの品のある調和に魅かれます。各地から取り寄せたさまざまな模様や色合いの貴石を、弓に糸を張った道具で模様に合わせて切り、はめ合わせるフィレンツェ・モザイクと呼ばれるこの技法は、当時、トスカーナ公国が誇る手工芸でした。この礼拝堂をつくるために設立された貴石加工の工房は現存していて、ヨーロッパで最高レベルを誇る美術品修復工房が付設されています。ここはmagnifico（豪奢な）という言葉がぴったりの空間です。

Autumn

ZTLのカメラに注意！

no.118

　昔の街並みを保存するということは、不便さを受け入れることでも
あります。中世の古い建物がそのまま残っている歴史地区では、道幅
がせまく、一方通行がほとんど。駐車スペースも本当にわずかです。街
の中心部に入ってくる車の数を制限するために、外環道路の内側は
ＺＴＬ（Zona a Traffico Limitato）という車両進入規制ゾーンが設け
られていて、決められた時間帯はZTL内の居住者や許可車両以外は
乗り入れできません。中心部にアクセスする道の入り口には監視カメ
ラが設置されていて、許可がない車が進入禁止の時間帯に通過する
と、後で罰金の催促レターが自宅に直接、郵便で送られてくるシステム
になっています。中心部に迷い込んで何度もカメラに映ってしまう
と、高額の罰金を請求されてしまうことも。レンタカーで直接街中の
ホテルに行く時には、前もって車の乗り入れができるか問い合わせて
おくとよいでしょう。

大活躍のマルセイユ石鹸

　ワインをグラスに注ぐ時、どんなに気をつけていても雫が垂れてし
まったり、うっかりこぼして赤いシミになってしまうという悲しい経験
は誰でもあるのでは？　そんな時、マルセイユ石鹸があれば大丈夫！
sapone di Marsiglia（サポーネ ディ マルシーリア）と呼ばれるマルセイユ石鹸は、フランスのマル
セイユで古くからつくられている石鹸です。イタリアでもこの石鹸をつ
くっているメーカーがいくつかあり、1950年代にリグーリア州サボーナ
に工場を開いたL'Amande（ラ マンデ）もそんな老舗の石鹸メーカーのひとつで
す。赤ワインやトマトソースでテーブルクロスを汚してしまったら、シミ
の部分を少し濡らして、この石鹸をゴシゴシと直接布に擦りつけま
す。赤いシミが青色に変色したら、そのまま洗濯機で洗うと、シミがあ
った部分が元どおり、真っ白に戻るのです。お陰で汚れを気にせず、
心おきなく布のテーブルクロスを使えます。

131

Autunno

国王のトリュフのパニーノ

no.120

　ワインバー、カフェ、高級食材屋、どの言葉もあまりピッタリこない、それぞれのいちばんいい部分を合わせたような、そんな存在がProcacci（プロカッチ）です。1855年の創業当時からずっと同じ場所でフィレンツェ人に愛されてきたこの店は、グラス1杯のワインと一緒に、小ぶりのパニーノをつまむというありふれた行為も特別なものにしてくれます。ここではpanini tartufati（パニーニ タルトゥファーティ）（トリュフバターをはさんだパニーノ）が有名です。1925年にはイタリア国王ヴィットーリオ・エマヌエーレ3世に献上され、現在も、当時から130年間続く秘密のレシピでつくられ続けています。ひと口食べるとトリュフの香りがふわりと口に広がり、その瞬間は至福の極み。ぜひ、とびきりおいしいグラスワインとともに。

トッポ・ジージョとカロセッロ

　私がイタリアに住みはじめた頃、日本でも有名なキャラクター、トッ
ポ・ジージョがイタリア生まれで、ネズミ（トーポ）だから「Topo
Gigio」なのだと知り、なるほど！　と納得したのでした。

　1959年にアニメーターのマリア・ペレゴが発案した操り人形のトッ
ポ・ジージョはテレビが白黒だった時代に「カロセッロ」という番組で
一躍、人気者になります。テレビ放送がはじまったばかりで娯楽番組
が少なかった当時のイタリアで、たった3分弱の短編のコントやショー
トドラマとCMをセットにしたこの番組は、子どもたちにとっては寝る
前のお楽しみでした。トッポ・ジージョはクッキーメーカーのパヴェジー
ニのCMのなかで女性タレントとショートコントを演じ、放送翌日
は小学校でみんな、トッポ・ジージョのモノマネをしていたのだと
か。イタリア人にとっては懐かしい子ども時代を思い出させるキャラク
ターのようです。

イノシシソースのパッパルデッレ *no.122*

　フィレンツェ名物のパスタといったら、pappardelle al cinghiale
でしょう。イノシシ肉をジュニパーベリーと月桂樹の葉、ローズマリ
ー、セージ、クローブ、それと赤ワインでひと晩以上マリネします。その
後、ホールトマトと一緒に長時間かけてじっくりと煮込むことで、臭み
が消え、肉がやわらかくなるのです。この濃厚なイノシシソースに合う
のは、幅広のパッパルデッレ。14世紀の詩人ボッカッチョの著作「デカ
メロン」のなかで「ホロホロ鳥のブロード (ブイヨン) で調理されたパッ
パルデッレ」という記述があるほど、トスカーナでは古くから親しまれ
てきたパスタです。もちろん、手打ちがベスト。見た目はシンプルだけ
ど、とても味わい深い料理なので、レストランのメニューで見かけたら
注文してみてください。きっと忘れられないひと皿になると思います。

Autunno

イタリア料理に欠かせないハーブ

　イタリア料理のレシピでは、必ずといっていいほど登場するハーブ。
種類はたくさんありますが、主によく使うのがこの4種類です。

◎Prezzemolo（イタリアン・パセリ）
　肉とも魚とも相性がいいパセリは、どんな料理にも使われるもっともポピュラーな
ハーブ。だから、いたるところに顔を出す人のことを「パセリのような人」といいます。
◎Rosmarino（ローズマリー）
　オーブン料理に必ず使うハーブ。ラヴェンダーのように一房をタンスに入れると防
虫効果も。トスカーナでは、別名ラメリーノとも呼びます。
◎Salvia（セージ）
　ゆでたラビオリに混ぜるバターソース「burro e salvia」は溶かしバターにセージ
の葉を入れて、香りづけしたもの。簡単なのにとってもおいしいパスタソース。
◎Basilico（バジル）
　ピッツァやトマトソースの上に必ずのるバジル。ジェノヴァペーストはバジルなしで
はつくれません。あまりによく使うので、スーパーの野菜売り場では鉢植えごと売
られています。

135

Autunno

笑顔を呼ぶ魔法の「ヌテッラ」　　　*no.124*

　イタリアの朝食に欠かせないのがNutella。国民的ヒット商品で、ヘ
ーゼルナッツベースのチョコスプレッドです。ピエモンテ州にあるフェ
レーロ社が、1964年にヘーゼルナッツでつくったチョコクリームを
SuperCremaという名前で売り出したのがヌテッラのはじまりです。私
も留学時代、ヌテッラをたっぷり塗ったラスクを朝ごはんに毎日食べ
ていたのですが、病みつきになるおいしさとそのカロリーの高さで「こ
れは危険！」と思い、途中から控えるようになりました。食べ終わった
ガラス容器がコップになるのもヌテッラの魅力。すでに70年代からコ
ップにできる容器で発売され、子ども向けにさまざまなイラストが入っ
た容器のヌテッラも出まわるようになります。イタリア人の家庭に必ず
あるヌテッラのグラスは、大人も子どももイタリア人がみんな、ヌテッ
ラが大好きな証拠。そのおいしさといったら！ 食べた誰もが笑顔にな
る魔法のクリームなのです。

ウフィツィ美術館のはじまり

　9月はもっともフィレンツェが混むハイシーズンです。この時期、入場者の列が延々と続くウフィツィ美術館ですが、休館日の月曜日はガランとしています。館内には入れないけれど、外から建物を鑑賞するのには人が少ないこの日が狙い目。Uffizi（ウフィツィ）とはuffici（ウフィッチ）（複数のオフィス）という意味。もともとフィレンツェの行政を行う13のオフィスをひとつにまとめてヴェッキオ宮殿の横におくことによりコントロールを行うという目的で、コジモ1世が1560年にジョルジョ・ヴァザーリに依頼して設計させました。その後、ロッジャ（屋根つきの柱廊）だった3階を壁で覆い、1591年にメディチ家所有の絵画やカメオ、彫像などを展示したのが美術館としてのはじまりです。1769年からレオポルド1世により一般公開され、現在も、ここでメディチ家所有の絵画と彫刻作品を鑑賞することができます。

137

Autunno

街角のエディーコラは情報発信源 no.126

　街角で見かけるエディーコラ（新聞スタンド）。新聞が山積みにされ、雑誌や子どものオモチャが所狭しと並べられているゴチャゴチャ感がどこか絵になる風景です。早朝に各新聞の一面記事の見出しが看板に貼り出され、ひと目でその日のトップニュースがわかるから、エディーコラの前を通る時は、つい足を止めてしまいます。日本と違ってイタリアには新聞の配達はありません。新聞は街のあちこちにあるエディーコラで買います。ネットの普及で紙の新聞を買う人が少なくなり、情報発信源としてのエディーコラの役目が減ってきたのは事実です。雑誌やバスのチケットも売られているけれど、やはり売上の大部分は新聞なのだとか。フィレンツェでは2015年からの7年間で200軒が閉店しました。時代の流れとはいえ、今までフィレンツェの風景のなかで見慣れていたエディーコラが街角から消えてしまうのはちょっと寂しい気がします。

ペコリーノチーズいろいろ

　ひとくちにペコリーノチーズといってもさまざまに工夫を凝らしたものもあり、どれも市場のチーズ屋で売られています。食べくらべをして、多様なトスカーナのチーズ文化に触れてみてください。

◎stagionato nella paglia e al fieno
　(スタジョナート・ネッラ・パリア・エ・アル・フィエーノ)
　干し草と藁に包んで熟成したもの。さわやかなハーブのような干し草の香りがします。
◎stagionato nella foglia di noce
　(スタジョナート・ネッラ・フォリア・デイ・ノーチェ)
　熟成4か月目にくるみの葉に包んでテラコッタの大きな樽に入れ、さらに3か月熟成させたもの。くるみの葉独特の香りとタンニンの渋みがチーズに深い味わいを与えます。
◎stagionato in barriques (スタジョナート・イン・バリック)
　赤ワインのおりが残ったオークの木樽で最低90日間、熟成させたもの。
　ちょっぴり蜂蜜をかけるとさらにおいしい存在感のあるチーズ。

カトリックの国としてのイタリア　　　*no.128*

　普段はそれほど意識することはないけれど、時折、「カトリックの
国であるイタリア」ならではの生活シーンに遭遇することがありま
す。街の中心には必ず大聖堂があるし、地域ごとにたくさんの教会
があり、住民のためのミサが行われます。幼稚園から高校までの各
学校ではora di religione（宗教の時間）があり、カトリックの教理の
基礎を学びます。もちろん、宗教の自由が認められているため、宗教
の授業を選択しない少数派の子どもたちもいますが、学生全体の約
86％は宗教の授業を選択しています。多くの公立病院には、入院患
者やその家族たちが祈りを捧げられるように、小さな礼拝堂が建物
のなかに設けられていて、病棟では患者を見舞う神父の姿をよく目
にします。この国では宗教はパスクワ（復活祭）やクリスマスなどの
主な宗教行事だけでなく、毎日の心の支えとして、日常の暮らしのな
かに根づいているのです。

パンなしではサラダが食べられない　　*no.129*

　生粋のフィレンツェ人のなかには、生野菜をほとんど食べないという人が少なくありません。「緑色の食べものは絶対食べない」という自称「肉食」の友人もいます。もちろん健康にいいわけではなく、バランスが悪い食生活なのですが、本人は全く気にしていない様子。一方で、毎回の食事に必ずサラダを添える家庭や、昼はサラダだけで済ませる人もいて、市場やスーパーには各種のベビーリーフやレタスが並んでいます。サラダの食べ方は至ってシンプル。ワインビネガー、オリーブオイルそして塩のみで、自分で味つけします。ドレッシングは大きなスーパーでないと見つからないので、まだ一般的には普及していません。そしてサラダを食べる時に、パンがないと食べられないのがイタリア人。パスタにサラダ、おかずとサラダというメニューでも、パンを切らしていたりしたら大騒ぎになります。日本人にはちょっと理解しがたい、イタリア人特有のこだわりです。

Autumn

カッフェの好みは十人十色 no.130

　朝のバールは大いそがし。次から次へと客が入ってきて、誰ひとりと
してメニューには目もくれず、「カッフェ（エスプレッソコーヒー）を1
杯」、「私はカプチーノ」、「カッフェをグラスで頂戴」、「カッフェ・ラ
ッテを熱々でお願い」などと直接、自分のオーダーを伝えます。バリ
スタは誰が先に店に入って来たのかちゃんと見ていて、ひとりずつ順
番に目を合わせて、注文を聞きます。さまざまなオーダーを伝票に書き
記すこともなく、背後から注文されても、順番通りに正確にさばくバ
リスタのスキルは相当なものです。

　毎回caffè al vetro^{カッフェ・アル・ヴェートロ}という小さなグラスに注いだカッフェを頼む人
がいて、同じエスプレッソなのに何が違うのかしら？ と不思議に思っ
ていましたが、本人いわく、普通の陶器のカップにくらべて、タイトな
ガラス製のエスプレッソグラスにカッフェを入れると、クレマ（上面に
できるなめらかな泡）の層が多くなるから、よりおいしいらしい。カップ
とグラスの厚みの違いで、口あたりも違うのだそうです。また、猫舌の
人は、早く冷めるように「caffè in tazza grande」といってカッフェを
カプチーノ用の大きなカップに淹れてもらいます。バリスタはおいしいカ
ッフェを淹れるだけでなく、客の「朝の1杯」を大切にし、それぞれの
好みを覚える能力も求められるのです。

ヴァザーリの秘密の回廊

　誰もが好奇心をそそられる450年以上前につくられた秘密の通路、ヴァザーリの回廊。行政機関がおかれていたヴェッキオ宮殿からアルノ川をはさんで対岸にあるピッティ宮殿の宮廷へ、路上を歩かずに移動できる安全なルートとして1565年にコジモ1世が建築家ジョルジョ・ヴァザーリに依頼し、5か月間でつくらせました。

　第二次大戦中、ヴェッキオ橋が瓦礫の山で通行が不可能だった時には、食料や薬を対岸に運ぶのにこの回廊が利用されたそうです。ウフィツィ美術館からヴェッキオ橋の上を通り、ピッティ宮殿のボーボリ庭園内ブオンタレンティの洞窟までの760mの部分には、1970年から2016年までウフィツィ美術館所蔵の自画像のコレクションが展示され、鑑賞の途中で回廊の窓から素晴らしいアルノ川の眺めを楽しむことができました。現在は改装中で残念ながら閉鎖されていますが、2023年中には予約制での入場が再開される予定です。

見えない靴下ファンタズミーニ

　最近の若い世代の足元を観察すると、男子も女子もローカットのスニーカーを履いている子を多く見かけます。靴下なしで靴を素足で履いているように見えるけれど、実はフットカバー（カバーソックス）を履いています。足の先の部分だけを覆うこの靴下のことをイタリア語でfantasmini（ファンタズミーニ）と呼びます。直訳すると「小さなお化け」という意味。あるのに見えないから「お化け」という何ともユーモアのあるネーミングです。街の朝市で下着類の屋台を見つけたら「ファンタズミーニある？」と聞いてみましょう。スニーカー用のコットン素材からパンプス用の薄いストッキング生地のものまで、いろんな素材のファンタズミーニを奥から出してきてくれます。イタリアでは小さなお化けたちが、足元のおしゃれにひと役買っています。

フィレンツェのおもしろい通りの名前　　*no.133*

　Via dell'Inferno（地獄通り）、Via delle Belle Donne（美しい女性た
ちの通り）、Borgo dei Greci（ギリシャ人通り）など、多くのフィレンツェの
通りの名前には、それぞれにおもしろい由来があります。サンタ・クロー
チェ教会の横の小道、Via delle Pinzochere（ピンツォケレ通り）もその
ひとつ。ピンツォケレとは半聖半俗の共同生活を行っていた女性たち
のこと。彼女らは聖職者ではないにも関わらず、聖フランチェスコ派
の茶色い僧服姿で、日中はサンタ・クローチェ教会内での清掃の仕事
に就き、夜は教会の外の住居で暮らしていました。複数の独身女性が
一緒に住むということで、しばしば偏見にさらされ、風紀を乱すという
理由でコジモ1世により解散させられます。神と人々に献身し続けた
彼女たちの名残は、この道の名前として現在に残っています。

案外おいしい塩なしトスカーナパン　　no.134

　トスカーナパンの生地に塩が入っていないことは有名で、その理由
にはふたつの説があります。ひとつは、12世紀、海洋貿易を支配して
いたピサ人がピサの港に着く塩に高い関税を課したため、トスカーナ人
が「ピサに税金を払うくらいだったらパンに塩を入れないほうがまし
だ」と、塩なしのパンを焼きはじめたという説。もうひとつはフィレンツェ
共和国が塩の税金を上げたので、民衆が塩を入れないパンを焼きは
じめたという説。どちらにしても、かなり昔から塩なしパンが食べられ
ていたことは確かで、フィレンツェから追放されたダンテも神曲のなか
で「異郷のパンは塩からい」書いています（神曲：天国編第17歌）。
理由はなんであれ、全く塩が入っていないトスカーナパンと塩味が強い
トスカーナ風のサラミやプロシュットの相性はぴったり。塩気が強い
具と粉の甘さを感じるパン生地のバランスは、一度食べてみる価値あ
りです。

蜜蜂を数えて幸せを呼ぶ

　サンティッシマ・アンヌンツィアータ広場の真ん中に、ドゥオーモに
向かって行進するフェルディナンド1世・デ・メディチの騎馬像があり
ます。16世紀の彫刻家ジャンボローニャによってつくられたこの像の
台座に、弟子ピエトロ・タッカが制作したおもしろい装飾があるので
す。女王蜂を中心にして円状に群れる蜜蜂のレリーフで、君主に仕え
るフィレンツェ市民を蜜蜂に例えたMaiestate Tantum（尊厳によって
のみ）というモットーを掲げています。昔からフィレンツェでは、やんち
ゃな子どもたちをおとなしくさせるため、「指で触れずに、蜂の数を正
しく数えられたら幸せになれるよ」といってこの蜜蜂を数えさせます。
正解は91匹だそうですが、つい確かめてみたくなります。

ちょっと懐かしいテラコッタ

　ドゥオーモから徒歩5分の場所にテラコッタ工房のSbigoli（ズビーゴリ）があります。1857年に開かれた歴史ある窯は、創立当初から現在まで同じ場所でテラコッタの食器の制作販売を続けてきました。1970年代に工房の所有がズビーゴリ家からアダミ家へ移り、現在の絵付け職人は2代目のロレンツァ・アダミです。どのお皿も手に取るとあたたかみがあり、やさしい色づかいが料理を引き立ててくれそう。オリーブの枝や雄鶏、野の花など、どこか懐かしさを感じさせる柄の多くは、ロレンツァの母アントネッラ・アダミが考案したもの。ロレンツァにとっては幼い頃からキッチンで親しんできた絵柄です。このお皿を手に取ると、昔、下宿をしていた家のシニョーラの手料理を思い出します。彼女もこんな素敵なお皿を何枚か持っていて、大事な来客がある時だけ使っていました。ズビーゴリは長く大切に使いたくなるお皿が見つかる素敵な店です。

MANGA大好き！

　この時期、フィレンツェからルッカ行きのローカル列車に乗ると、ひときわ目をひくコスプレ集団に遭遇します。彼らは毎年10月末の5日間、ルッカで開催されるLucca Comics & Gamesの参加者たち。来場者37万人を記録するヨーロッパ最大の漫画、ゲーム、アニメの祭典ルッカ・コミックスの開催期間中は、いつもは静かなルッカの街がイタリア中から来るコスプレイヤーで埋め尽くされます。以前はサブカルチャー的な存在だった日本の漫画やアニメは、それらを読んだり見たりしていた世代が成長するとともに、随分とメジャーになってきました。漫画はイタリア語でfumettoと呼びますが、最近はmangaという言葉が定着していて、メジャーな本屋でも、イタリア語に翻訳された日本の漫画が売れ筋コーナーにずらりと並んでいます。漫画文化がきっかけで日本語を勉強しはじめる若者もいて、イタリア人のティーンエージャーにとっては、日本は意外と近い国なのかもしれません。

城壁に囲まれていたフィレンツェ

　イタリアのほかの街同様に、フィレンツェも昔は街が城壁でぐるりと
囲まれていました。ローマ時代、最初の城壁ができた紀元前15年頃
から取り壊される1870年頃までの約1900年間、街が拡大するごとに
壁は外側へと移り、最後の壁があったのは、現在の外環道路のある
あたりです。街のなかと外の往来は、数か所にあった大きな門を通る
のみで、夜間は門が閉まっていたので、さぞかし不便だっただろうと思
います。1865年から1871年までの6年間、フィレンツェがイタリアの首都
だった時期に、建築家ジュゼッペ・ポッジが大規模な再開発計を立ち
上げました。街の成長拡大のために邪魔だった城壁を撤去し、そこに
外環道路がつくられました。馬車、自動車、そして一度はなくなった
トラムが再び走る予定のこの外環道路が、実は昔は城壁だったことを
思うと、フィレンツェの別の姿が見えてくるようです。

700年の歴史をもつ市庁舎

no.139

　フィレンツェのもっとも中心の広場、シニョリーア広場に建つヴェッキオ宮殿は、常にこの街の政治が行われてきた建物で、1540年からはメディチ家の住居として使われました。入り口の回廊には、プラハやウィーン、インスブルグなど、フィレンツェとはあまり縁がなさそうな街のフレスコ画が描かれています。これは、コジモ1世が、息子フランチェスコ1世の元にはるばる嫁いできたハプスブルグ家のジョヴァンナ・ダウストリアのために、オーストリアの街を描かせたもの。ほかにも、おいしい水が飲めるようにとボーボリ庭園から水道を引かせたりと、コジモ1世は舅として、ヴェッキオ宮殿に新居を構えるふたりのためにさまざまなリフォームを行います。残念ながら彼らの結婚生活は長く続かなかったけれど、ヴェッキオ宮殿の回廊をぐるりと見渡すと、コジモ1世がふたりの幸せを願いながら、この建物を改装させる姿が目に浮かびます。

B級グルメといえばランプレドット *no.140*

　フィレンツェの大衆的な食べものをひとつあげるなら、断然、lampredotto（ランプレドット）でしょう。lampredottaio（ランプレドッタイオ）と呼ばれる屋台の前を通ると、モワッというおいしそうなモツ煮独特の香りが漂ってきます。ランプレドットとは牛の第4の胃をトマト、玉ねぎ、セロリ、パセリと一緒に長時間やわらかく煮たもの。トッピングで欠かせないのはパセリでつくったサルサ・ヴェルデです。オーダーが入ると鍋から熱々のランプレドットを取り出して、ナイフとフォークで器用に細かく切り分けます。それを、上下半分に切った丸型のロゼッタというパンにのせて塩を振り、上のパンはチャポンと煮汁に浸してサンド。街の中心部だけでなく、郊外でも必ず見かけるランプレドッタイオのまわりには、あらゆる職業の人々が集まります。スーツ姿の男性、作業服の若者、大学生、自転車に乗ったおじさんも。屋台ごとに味つけがちょっとずつ違うので、ほとんどの人は、毎回、自分の行きつけの屋台に通います。

Autunno

死者を祀る日 *no.141*

11月1日はFesta di Ognissanti（諸聖人の日）という宗教祭日です。一年を通じて各聖人が殉教した日がそれぞれの聖人の祭日ですが、フェスタ・ディ・オンニサンティの日は、すべての聖人をまとめて祀る日です。そして翌日11月2日は、Commemorazione dei defunti（死者の日）。日本のお盆のように、死者を祀る日で、多くの人がキャンドルと菊の花を持って、家族や近しい人が眠る墓地を訪れます。

外来の行事であるハロウィンはイタリアでも近年盛んに行われていて、かわいい仮装をした子どもたちがお菓子をもらいに近所を練り歩く姿をよく見かけます。実は、昔からトスカーナにもお化けかぼちゃをつくる風習がありました。ZozzoまたはMorte Seccaと呼ばれる、顔をくり抜いたカボチャのなかにロウソクを灯し、石壁の上に一晩中飾ります。見かけは怖いけれど、実はこのゾッゾは悪霊を追い払い、家族を守ってくれる強い味方なのだとか。

レストランの名称はいろいろ　　　*no.142*

　Ristorante、Trattoria、Osteria、とイタリア語でレストランを示す
言葉は3つあります。以前は、リストランテは格式張った高級店、一
方、オステリアとトラットリアは伝統料理を出す庶民的な店と分類され
ていたのですが、最近はオステリアという名称でも伝統料理をアレン
ジしたクリエイティブな料理を出す高級店も。この分け方は、もはやあ
まり意味をなさないかもしれません。それでもフィレンツェのトラットリ
アやオステリアの大半はトスカーナの伝統料理を出し、気軽に入れる
雰囲気の店です。また、Buca MarioやBuca Lapiなど、店名にBuca
（穴）という名前を持つリストランテがいくつかあります。これは
元々、貴族の邸宅の地下につくられたワインセラー（ブーカ）が、おつ
まみをワインと一緒に出していた居酒屋となり、現在は伝統料理を出
すリストランテになったものです。

栗粉でつくるカスタッニャッチョ

カスタッニャッチョ
castagnaccioは、11月から出まわりはじめる栗粉（farina di castagne）
ファリーナ ディ カスターニェ
を使った伝統的なお菓子。オリーブオイルをたっぷり使って揚げるよ
うに焼くのがコツで、ローズマリーの香りとホロリとした素朴な食感が
おいしい。前の日に準備をして生地をひと晩寝かせてから焼きます。

〈材料〉＊つくりやすい量

栗粉	125g
塩	小さじ1/2
砂糖	大さじ1
干し葡萄	大さじ5
オリーブオイル	大さじ5
松の実	小さじ1
ローズマリー	適量
水	適量

〈つくり方〉

1. ボウルに栗粉、オリーブオイル大さじ1、塩、砂糖、干し葡萄を混ぜ、とろりとしたクリーム状になるまで水を少しずつ加える。
2. 生地を10時間休ませる。
3. 18×10cmくらいの型にクッキングシートを敷き、オリーブオイル大さじ2を塗る。
4. 均一になるように型に生地を流し入れる。
5. 残ったオリーブオイルを生地の表面にまわしかけ、飾り用の松の実とローズマリーをのせる。
6. 180℃に予熱したオーブンで35〜40分焼く。串を刺して生地がついてこなければ出来上がり。

Autumn

大洪水と泥まみれの天使たち

　街角の壁に横長の大理石や金属のタグがついていたら、それらの
多くは洪水の際に達した水位を表す印です。長い街の歴史のなかで
アルノ川は何度も氾濫したため、複数の印がついている場所さえあ
り、こんな高さまで水が押し寄せたのかと、当時の水害の規模に愕然
とします。最後に洪水が起こったのは1966年11月4日。2日前から激
しい雨が降り続いていた4日未明にアルノ川の堤防が数か所決壊し、
午前中にはドゥオーモ広場にまで濁流が押し寄せました。もっとも被
害が深刻だったサンタ・クローチェ地区のネーリ通りでは最高水位が
5m近くに達したそうです。数日後、水が引いてから、すっかり泥に浸
かってしまった美術品や貴重な古書を救出するために、イタリア中か
ら多くの若者がフィレンツェにやって来ました。彼らはangeli del
fango（泥まみれの天使たち）と呼ばれ、長靴姿で教会や美術館など
の泥をかき出す姿は、50年以上経った今でも語り継がれています。

天使が描いたフレスコ画 *no.145*

　ドゥオーモから北側のセルヴィ通りをまっすぐ歩いた突き当たりに、サンティッシマ・アンヌンツィアータ教会があります。ロッソ・フィオレンティーノやポントルモのフレスコ画が残る美しい回廊を抜けて、身廊に入ると、その豪華なバロック様式の天井装飾に圧倒されます。この教会には「フレスコ画の奇跡」というおもしろい伝説が残っています。

　1252年、受胎告知を描くことを注文された画僧バルトロメオは聖母マリアの顔を描くことに苦心していました。どうしてもうまく描けずに困っていたところ、急に睡魔に襲われ、起きた時には、天使によって聖母マリアの顔が描かれていたのだそうです。現在の教会の名前はこのAnnunciazione（受胎告知）の奇跡にちなんでつけられています。この天使が描いたと伝えられるフレスコ画は、身廊に入りすぐ左手の祭壇に掲げられていて、今でも住民の深い信仰を集め、一日中、祭壇の前で祈りを捧げる人が絶えません。イタリア人がふらりと教会を訪れ、一心に祈る姿を見ると、キリスト教徒でない私でも敬虔な気持ちになり、この国で祈りが根強く暮らしのなかに生き続けていることに心を打たれます。教会は扉が開いていればいつでも入れるのですが、もし司祭がミサを行っている時に遭遇したら、邪魔にならないようにそっと外に出て、1時間後にもう一度戻ってみましょう。

黒い鶏キャンティ・クラシコ

　フィレンツェの南側は有名なChianti Classico（キャンティ クラッシコ）の生産地です。1716年にトスカーナ大公コジモ3世が定めたこの地域で栽培された葡萄のみを使い、品質条件を満たすワインだけがキャンティ・クラシコとなります。ボトルのGallo Nero（黒い鶏）（ガッロ ネーロ）が原産地保証の印。14世紀にキャンティ地区の政治同盟のシンボルだったガッロ・ネーロの由来には、昔、対立していたフィレンツェとシエナが境界線を決めるのに鶏を走らせたという伝説があります。フィレンツェからは黒い鶏、シエナからは白い鶏を、よーいドン！　で走らせたら、餌に飢えて猛スピードで走った黒い鶏が勝ち、ほぼシエナの手前まで達したのだとか。それ以来、この一帯の政治同盟のシンボルが黒い鶏になったのだそうです。

市民の新しい足、トラム

フィレンツェにはTramvia（略してトラム）が2路線あります。2010年
に開通したT1路線は隣町のスカンディッチのヴィッラ・コスタンツァ
から、サンタ・マリア・ノヴェッラ駅を通りカレッジ大学病院まで、
2019年に開通したT2路線はペレートラ空港の始発から、サンタ・マ
リア・ノヴェッラ駅のそばのウニタ広場まで走っています。昼間は5分
間隔で運行し、たったの20分で空港の正面入り口の脇からサンタ・
マリア・ノヴェッラ駅まで行くことができるので、フィレンツェを訪れ
るツーリストにとっても大変便利になりました。今後はリベルタ広場
と南東側の隣町バーニョ・ア・リーポリを結ぶ路線が開通する予定。
工事中は駐車スペースが不足して、あれだけ文句をいっていたフィレ
ンツェの住民たちも、今ではすっかりトラムの便利さに慣れてしまって
います。

Autunno

サン・マルティーノの夏　　　　　*no.148*

　立冬が過ぎて、毎日少しずつ寒くなるこの時期に、時に暖かい日が訪
れることがあります。日本でいう「小春日和」にあたるもので、estate
di San Martino（サン・マルティーノの夏）と呼ばれます。フランスの聖
人サン・マルティーノ（聖マルティヌス）が城門で寒さに震える男に自ら
のマントを切り裂いて分け与えたところ、突然、夏日があらわれ急に
暖かくなったという伝説にちなんで名づけられました。イタリアでは
11月は雨がもっとも多く降る月です。オリーブの収穫期なのに、うん
ざりするほど毎日冷たい雨が降り続くなか、たまに晴れた日があると
「それ！今だっ！」とばかりにみんな、一斉にオリーブ畑で収穫作業
を行います。普段は悪天候でツーリストが少なく、宿の値段が下がる
11月。安いオフシーズンを狙ってフィレンツェを訪れた旅行者にとっ
て、「サン・マルティーノの夏」はラッキーな贈りものです。

中央市場はフィレンツェ人の胃袋

　肉、魚、チーズ、ハム、野菜、果物、乾物……フィレンツェで食材を探す時、大体何でもそろっているのが中央市場。大根や白菜、れんこんなど普通のスーパーでは手に入りにくい野菜も見つかるので私もよく利用しています。青果店の向かいの肉屋では、ビステッカ・アッラ・フィオレンティーナ（骨つきTボーンステーキ）を買いに来た客のために、店主が店の奥から大きな肉の塊を誇らしそうに抱えてくる姿も。巨大な包丁で骨ごとステーキ用の肉を切る姿は何とも豪快。おいしい焼き方も教えてくれます。市場のなかはかなり寒いので、店の人たちはみんな、マフラーに毛糸帽姿。カウンターの向こう側とこちら側で世間話をしたり、レシピを教えてもらったりと、スーパーでは味わえない人と人のコミュニケーションがあるのが市場での買いものの醍醐味です。ここは、雑多で豪快で活気があるフィレンツェ人の胃袋のような場所です。

中世のおやつは栗粉のネッチ　　*no.150*

　秋から冬にかけて、朝市やクリスマス市などで時々見かけるの
が、necciという栗粉のクレープに似たお菓子の屋台。小さなフライ
ネッチ
パンに水で溶いた栗粉を流し入れて厚めに焼き上げ、砂糖を加えて
フワフワに泡立てたフレッシュなリコッタチーズをのせ、くるりと巻き
ます。1300年代からトスカーナのとくに小麦が育ちにくい山岳地帯
で貴重な食材として存在していた栗粉は、パンにしたり、お菓子とし
て焼いたり、練ってスープにしたり、日常的に使われてきました。昔は
テスティという炭で熱した鉄製の平たい道具の間に生地をはさんで
焼いていたのだとか。家でつくってもおいしいけれど、にぎわう市場
の喧騒のなかで食べる熱々のネッチは特別な味。栗粉の素朴な甘さ
が、つくりたてのリコッタチーズの味をより引き立ててくれます。この
おいしいおやつを今の時代に伝えてくれたトスカーナの人々に感謝
しながらいただきましょう。

オーガニック市場フィエルーコラ　　　*no.151*

　毎月第3日曜日はFierucola の日。秋が深まるサント・スピリト教会前の広場には、朝からたくさんの屋台が並びはじめます。その昔、毎年9月8日の聖母マリア生誕の祝日のミサが行われる日にサンティッシマ・アンヌンツィアータ教会前の広場で、郊外から運んできた工芸品や農産物を売る市場が開かれていました。これをNPOグループLa Fierucola が1984年に再現し、オーガニック市としてはじめたのが現在のフィエルーコラです。有機農法を実践している生産者のみがこの市に参加でき、果物や野菜、パン、チーズ、ワインだけでなく、手づくりのかごや靴などの屋台が並びます。季節によって、小麦、オリーブオイル、木工芸品、布、陶器、蜂蜜などのテーマがあり、2月にはscambio dei semi と呼ばれる野菜や花の種の交換会も行われます。個性的な生産者ばかりのこの市場で、それぞれの屋台に足を止め、つくり手が伝える物語に耳を傾けるのが私の楽しみです。

Autunno

街がひと息つくオフシーズンの楽しみ　*no.152*

　11月は日没が早く、夕方5時には真っ暗になってしまい、暗くて長いヨーロッパの冬がすぐそこまで来ているのを感じます。なかなか日が暮れず一日をたっぷりと楽しめた夏と違い、日が短くて雨が降りやすいちょっと憂鬱な秋。でも住民にとっては、街中を埋め尽くしていた観光客がいなくなるこの時期は、のんびりできるうれしいシーズンなのです。ほかのヨーロッパの観光都市と同様に、フィレンツェでもパンデミックによる規制が緩和された後、オーバーツーリズムの問題が深刻になってきました。春、夏のハイシーズンにはレストランや美術館のあまりの混雑につい足が遠ざかってしまいますが、11月半ばからは店にも行列せずに入れるし、美術館も平日だったら入場予約の必要はありません。ふらりと入った教会や美術館で好きな絵を見て、すっかり暗くなった街を歩きながら、エノテカに寄って1杯飲む。そんな時間を満喫できるうれしい季節です。

Inverno

冬

プレゼント探しはお早めに

no.153

　イタリア人が家族の絆をどれだけ大切にしているか、それは普段から
まめに両親に電話をしたり、家族の誕生日を盛大に祝ったりすること
からも伺えますが、とくに、クリスマスプレゼントへの力の入れようは
特別です。人数分のプレゼントを用意するのは大変！ 11月末のブラ
ックフライデーにプレゼントを購入しておくという周到な人もいます
が、大部分は、12月初旬に駆け込んだショッピングモールのなかで頭
を悩ませます。自らパッケージングをしたプレゼントには、相手へのメ
ッセージカードも添えます。結局は、何を贈るのかは重要ではなくて、
相手に対して費やす時間とpensiero（心遣い）がいちばんのプレゼント
なのかもしれません。

国民的リキュール、アペロール no.154

　アペリティーヴォ（P.73）の定番カクテルとして人気を誇るSpritz（スプリッツ）。元々はヴェネト州のカクテルでしたが、今ではイタリア中で飲まれるようになりました。材料として使われるAperol（アペロール）は、イタリアの国民的なリキュールで、原材料はルバーブとゲンチアナ（リンドウ科の植物）、ビターオレンジです。アペロールを使ったスプリッツのつくり方はとても簡単。発泡白ワインのプロセッコ3：アペロール2、そしてソーダ水少々と氷を入れ、オレンジを一切れ添えて出来上がりです。サマーシーズンはもちろん冬場でも、多くの人々がこのあざやかなオレンジ色のカクテルを片手に、夕食前のひと時を過ごしています。興味をそそられるのが冬バージョンのSpritz caldo（スプリッツ　カルド）（ホット・スプリッツ）。アペロールと白ワイン、リンゴジュースを合わせて鍋であたため、グラスに注いでシナモンスティックを添えたもので、ちょっと試してみたくなる新レシピです。

169

Inverno

昔懐かしいフィアスコ・ボトル　　　*no.155*

　大衆的なトラットリアでハウスワインを頼むと、ドンとfiasco に入っ
たワインが出てきます。通常は、飲んだ分だけお会計をするというシス
テム。フィアスコは洋梨のような形で丸底のガラス製容器で、その昔、
ワインの運搬の際に割れないようにと、底の部分にロープをぐるぐる
と巻いたり、編んだ藁で包んだりして使われていました。フィアスコの
歴史は古く、14世紀の詩人ボッカッチョの著書「デカメロン」のなかで
この容器についての記述があり、ルネサンス期の絵画にも描かれてい
ます。1574年にはトスカーナ大公が1フィアスコ＝2.28ℓと定め、それ
以来、ワインなどの液体を量る目安となりました。今では販売用のワイン
ボトルとしてはボルドー型の瓶が主流になりましたが、オリーブオイル
を入れたり、ワインを入れたりと、フィアスコはまだまだフィレンツェ人
の暮らしのなかに息づいています。

詩人ダンテとフィレンツェ

　フィレンツェ出身でもっとも有名な偉人といえば、13世紀から14世紀にかけて活躍した詩人ダンテ・アリギエーリ。彼は著書「La Divina Commedia（神曲）」をフィレンツェから追放された後、滞在先のラヴェンナで完成させました。ダンテは1321年にラヴェンナで亡くなり、同地に埋葬されます。その後、フィレンツェ人は彼を偉人として崇め、1519年にメディチ家出身のローマ教皇レオ10世がダンテの遺骨をフィレンツェに移そうとしますが、棺桶は空でした。1865年に隠されていた遺骨がラヴェンナで発見され、現在は同市のダンテの墓に納められています。フィレンツェでは1830年にサンタ・クローチェ教会内にダンテの慰霊碑がつくられ、今でも毎年フィレンツェの市長がラヴェンナの市長に「ダンテの遺骨を戻してほしい」という要請をするのが恒例行事です。一度追放しておいて虫のよすぎる話ですが、教会前のダンテの彫像はヴェッキオ宮殿を睨みつけているように見えます。

誰もがピノッキオ

no.157

　世界的に有名な「ピノッキオ」は140年前にフィレンツェで生まれました。生みの親カルロ・コッローディが1883年に「Le avventure di Pinocchio. Storia di un burattino（ピノッキオの冒険　あやつり人形の物語）」をフィレンツェで出版します。彼は、やっかいごとに巻き込まれてしまう主人公の姿を通じて、当時の権威主義を辛辣に風刺しました。やさしくていつも心配をしてくれる木工職人のジェペットじいさんを顧みず、嘘つきで勉強嫌い、安易に甘い言葉にのっかってしまうピノッキオの姿は、誰もが子ども時代に持っていた一面なのでしょう。トスカーナの小さな村レ・ピアストレでは毎年8月に「嘘つき選手権」が開催されます。イタリア中から大人も子どもも嘘つき上手が集まり、村の広場でとっておきの嘘を披露し競い合うおもしろいイベントです。

異国情緒漂うクリスマスマーケット　　*no.158*

　今年も11月半ばから約1か月間、サンタ・クローチェ教会前でクリスマスマーケットが毎日開かれています。サンタ・クローチェ教会を背景に、北欧、ドイツ、フランス、オーストリアや北イタリアからやって来た屋台がずらりと並ぶ様子は、フィレンツェの風物詩のひとつです。私が楽しみにしているのは、熱々のvin brulé。りんごやオレンジ、スパイスを入れて大きな鍋であたためたホットワインです。フィレンツェでは見かけないスパイシーな量り売りクッキー、ずらりと並んだドイツのソーセージや大きなプレッツェル、各種のチーズなどのほかに、プロヴァンス地方のテーブルリネンやあたたかそうなチロル地方のフェルト製の部屋履き、クリスマスツリーに飾る手描きのオーナメントボールなど、季節感あふれる食べものや雑貨が売られています。フィレンツェ人にとっては、異国情緒を味わえる年に一度の楽しい催しです。

豆からこだわる1杯のコーヒー

「サンタ・クローチェ教会の近くに、コーヒーがおいしいバールがオープンするよ！」と友人から聞いたのは、2013年のことでした。バール、Ditta Artigianaleはネーリ通りの1号店からスタートし、現在は市内で計5店舗が営業しています。オーナーであるフランチェスコ・サナポの「豆からカップに注がれるまで」というポリシーは1号店の開店当初から今まで変わらず、コーヒー豆の原産地での栽培や収穫、品質管理から焙煎、抽出まで、すべての工程にこだわったスペシャリティコーヒーを提供しています。店名の一部、アルティジャナーレ（職人肌の）という言葉の通り、職人気質で豆の個性を引き出し、コーヒーのおいしさを追求する店は、バールがたくさんあるフィレンツェでもほかに見当たりません。この店で味わえるのは単なるコーヒーではなく、特別な1杯。ひと口めは砂糖なしで味わってみてください。

全部いえたらフィレンツェ通

no.160

　みなさんはフィレンツェの中心部に架かる橋の名前を何個あげられ
ますか？　誰もが知っているのがヴェッキオ橋。ここから下流側（カッ
シーネ公園側）に向かう途中にあるのが、サンタ・トリニタ橋とカッライア
橋。ふたつの橋のたもとにはそれぞれの橋の名前がついた2軒のおい
しいジェラート屋があります。もうひとつ下流側に架かっているのが
アメリゴ・ヴェスプッチ橋と外環道路が通るヴィットリア橋。逆にヴェ
ッキオ橋から上流に向かって歩いて行くとグラツィエ橋があります。
1800年代半ばにはこの橋の上をトラムが走っていました。さらに上流
側に見えるのは元々吊り橋だったサン・ニッコロ橋。7つの橋を端から
端まで歩いてもたった3.3kmです。

175

Inverno

街がクリスマスモードになる12月 *no.161*

　午後5時過ぎには暗くなりはじめる12月。これからの楽しみは、街を飾るクリスマスイルミネーションです。12月の1週目にはフィレンツェの多くの通りで工夫を凝らした飾りつけが街行く人々の目を楽しませてくれます。なかでも豪華なのは、高級ブティックが並ぶトルナブオーニ通りのイルミネーション。こうした装飾は街の中心部に限ったことではなく、郊外の表通りでもAuguri!（おめでとう！）というメッセージや流れ星をかたどったイルミネーションが通りに点けられ、クリスマス気分を盛り上げています。毎年、12月8日のImmacolata Concezione（無原罪の御宿り）の祝日には、前日の夕方に、ドゥオーモ広場の大きなクリスマスツリーの点灯式が開かれます。広場を埋め尽くした大勢の市民の前で、サンタ帽を被った市長が演説をした後、大きなツリーにライトが灯されキラキラと輝きはじめました。さあ、これから楽しいクリスマスシーズンのスタートです。

カントゥッチとヴィン・サント

　ホームパーティーでもレストランでも、楽しい夕食の後、お腹は
いっぱいだけれど友人との話は尽きず、名残惜しくてなかなかテーブ
ルを去りがたい。そんな時にフィレンツェで決まって登場するのが
cantucci e vin santoです。カントゥッチとはかた焼きのアーモンド入
りビスケットのこと。1691年発行のイタリア語辞書にすでにその名が
記載されているほど、古い伝統菓子です。これをショットグラスに注
いだ甘い「聖なるワイン」、ヴィン・サントに浸けて食べるのです。トス
カーナワインの生産者のなかには「ワインにお菓子を浸すなんてタブ
ー！」と唱える人もいますが、フィレンツェの人々はお構いなし。お喋り
に花を咲かせつつ、カントゥッチをチャポンとヴィン・サントに浸して
口に運びます。トスカーナではとてもポピュラーなこのお菓子は、どの
レストランでも必ずデザートメニューにあるので、夕食の締めにぜひ。

ズグラッフィートが今に伝える美　　*no.163*

　街全体が美術館といわれるフィレンツェ。それは、多くの建物の外
観にルネサンス時代の名残をとどめていて、散歩をするだけでもこの
街の長い歴史を感じられるからでしょう。1500年代後半に流行った
sgraffito（ズグラッフィート）という手法で装飾された外壁も、500年前のフィレンツェを
今に伝える美しい要素のひとつです。黒色の壁の表面を鉄の棒で引
っ掻き、あらわれた下の白い漆喰の層を利用して装飾模様を描いた
もの。こうした装飾が残っている邸宅はいくつかありますが、とくに見
応えがあるのが、マッジョ通り26番地にある1574年に建てられた
Palazzo Bianca Cappello（パラッツォ ビアンカ カッペッロ）（写真）。トスカーナ大公フランチェスコ
1世・デ・メディチの愛人で、その後、妻となったビアンカ・カペッロが長
らく住んでいた邸宅です。当時流行ったグロテスク様式の細かい装飾
が全面に施された外壁は美しく、思わず足を止めて見入ってしまいま
す。そこからほど近い、グイッチャルディーニ通り15番地のグイッチャル
ディーニ邸でも、1600年代のズグラッフィートを見ることができます。
第二次世界大戦中に、ほぼ全面が破損してしまったのですが、2007年
にオリジナルの図柄と当時の手法を用いて、完全に修復されました。

　街歩きをしながら、ちょっと見上げてみましょう。美術館のなかの絵画
や彫刻だけでなく、別のフィレンツェの魅力が見つかりますよ。

パネットーネ派？　パンドーロ派？　　　*no.164*

　12月に入るとスーパーの売り場には各メーカーのパネットーネが並びます。年末のホームパーティーでは、おしゃれなパッケージのパネットーネとスプマンテがポピュラーな手みやげです。2018年の調査では、国民ひとりあたりなんと約3kgのパネットーネ、またはパンドーロを消費したのだとか。細かく切った砂糖漬けのフルーツが入っているパネットーネと、何も入っていないシンプルなパンドーロ、人によって好みが分かれますが、統計ではイタリア人の4人のうち3人がパネットーネを選び、圧倒的にパネットーネ派が優勢です。流行りのピスタチオ入りやラズベリー生地にチョコレートコーティングなど、変わり種パネットーネも試してみたい気分になりますが、やはり私はフルーツの砂糖漬け入りの正統派が好きです。ディナーの後で、にぎやかに食べるのも楽しいけれど、寒い冬の日の朝食に、大きく切った一切れを食べる幸せはこの時期ならでは。

Innamora

求む！ホームドクター

　風邪が流行るこの時期、医者は大いそがしです。イタリアでは「ま
ずは病院へ！」ではなくて、「まずmedico di famiglia（ホームドクタ
ー）へ！」。外科でも内科でも、一旦、自分のホームドクターの診察を
受け、出された処方箋を緑の十字が目印の薬局で提示し、薬を購入
します。病院での精密検査や専門医の診察も、健康保険負担の場合
は、ホームドクターが発行するricetta（申請書）が予約に必要です。病
欠の時もホームドクターの診断書を会社に提出します。こんなに頼り
になる存在なのに、全国的にホームドクターの数が急減していて、診
察の予約がなかなか取れないのです。最近のホームドクター不足に
は、医学部の卒業者数の減少と、学生が専門医になりたがる傾向が
影響しているようです。

サンタンブロージョの朝市 *no.166*

　冬の冷え込みにかかわらず、土曜日のサンタンブロージョの朝市は活気にあふれています。素敵なかごを手にした若いカップル、ショッピングカートをゴロゴロと引いたマダム、犬連れの老夫婦——。土曜日の午前中、フィレンツェ弁が飛び交うなか、真剣に野菜や果物を選んだり、肉の切り方を注文したりする人々を見ていると、ここは「フィレンツェらしさ」が残る場所のひとつだと感じます。街でもっとも古いこの市場は、1873年に建てられました。美しいアール・ヌーヴォー様式の鉄の建物のなかにはチーズやハム、肉や魚類、パンなどを売る店と食堂があり、外には野菜や果物、家庭雑貨、衣服などを売る屋台が並んでいます。とくに魅力的なのは街周辺の生産農家の屋台。つくり手から直接、旬の有機野菜やチーズ、蜂蜜などを買えるのは朝市ならでは。この街の食文化に出会えるサンタンブロージョ市場は、月曜日から土曜日、朝7時から午後2時まで開かれています。

3つもあるイタリアの警察

　日本でいう「警察」はイタリアでは3種類あります。まずは黒地に赤い
ラインの制服が目印のCarabinieri。国防省に従属していて、イタリア
_{カラビニエーリ}
全国、小さな町にも必ず駐在所がひとつはあるので、盗難や事件が
あるとまずはカラビニエーリに駆け込みます。残念ながら旅行中に
スリに遭ってしまったら、市内に数か所あるカラビニエーリの駐在所
でdenuncia per furto（盗難届け）を作成してもらいます。一方、犯罪
_{デヌンチャ ペル フルト}
の取り締まりと高速道路や鉄道のなかでの治安、入国管理などに携
わるのがPolizia。彼らは内務省に属していて、制服はブルーグレー
_{ポリツィーア}
にボルドーの横線です。そして街でよく見かけるのがVigili Urbani。
_{ヴィージリ ウルバーニ}
それぞれの市に属した警察で、交通違反や違法営業などの取り締ま
りを行います。目印は紺色制服に白いベルト。道に迷ったらヴィージリ
に聞くのがいちばんです。

冬の定番料理リボッリータ　　　*no.168*

　冬に食べるリボッリータは、体をあたためてホッとさせてくれる日本の
お粥のような存在です。あらかじめ下ゆでした白いんげん豆、黒キャ
ベツ、香味野菜、ホールトマトをじっくりと煮込み、ふやかしておいた
トスカーナパンを絞りながら加えてさらに火にかけます。食べる前に
新もののオリーブオイルをたっぷりと振りかけたらおいしいリボッリータ
の出来上がり。店によってはクリーム状になるまで煮込むところもあ
りますが、私が好きなのは材料の形が残っていながら、それぞれがや
わらかく炊けているタイプです。ribollitaとは「2度あたため直し
た」という意味です。つくった日よりも翌日のほうが味わい深くなるの
です。料理上手なシニョーラに聞いたおいしくつくるコツは、黒キャベ
ツ以外に、ちりめんキャベツなどのほかの野菜を混ぜること。薄切り玉
ねぎを上にのせてオーブンで焼くバリエーションもおすすめです。

クリスマスのプレゼピオ

　クリスマスが近づくと、各教会ではpresepeまたはpresepioと呼ばれ
るキリストの誕生の場面を再現した人形や模型を飾ります。藁を敷い
た厩の前で聖母マリアと聖ジュゼッペが飼い葉桶を囲み、そのまわり
には羊飼いと羊、馬、牛などもいます。ところが、幼子キリストはまだ誕生
していないので登場しません。12月24日の深夜のクリスマスイブのミサ
の間に、幼子キリストの人形が、誰にも気づかれないようにそっとおかれ
るのです。家庭でも小さめのプレゼピオを飾ります。留学時代、信仰
深かった下宿先のオーナーさんが、12月に入るとプレゼピオを暖炉の横
に飾っていました。飼い猫が夜の間に、飾られていた羊をくわえてどこ
かに隠してしまうので、翌朝、私が足りない羊を探すのも毎年の恒例
行事でした。25日の朝には幼子キリストの人形を飾り、遠くにおいた
東方の三博士の人形を少しずつ厩に近づけていく様子は、クリスマス
の季節感を感じる光景です。

刑務所を再利用したおしゃれスポット *no.170*

　歴史地区の東側に「ムラーテ」と呼ばれる建物があります。ここは修
道院、刑務所、住宅と長い歴史のなかでその役割を変えてきました。
1390年に修道女が住みはじめた木造の宿小屋が石塀 (muro) でぐる
りと囲まれていたことからmurate^{ムラーテ}という名前がつけられました。その
後、フィレンツェでもっとも由緒のある修道院になります。けれど
1808年、イタリアを支配したフランス軍により修道院は閉鎖され、
刑務所になりました。刑務所が閉鎖された1984年には、まだ約600人
の囚人が収監されていたそうです。2001年のフィレンツェ市の再開発
計画により45軒のアパートとオフィス、そしてカフェ「Le Murate^{レ ムラーテ}」が
つくられました。おもしろいのは刑務所として使われていた建物をう
まく再利用しているところ。よく見ると、窓が小さかったり、刑務所の
中庭だったスペースが昔の姿のまま残されています。

Inverno

思い出をのぞく絵葉書

サンタンブロージョ市場の裏手には、20軒ほどの骨董屋が軒を連
ねています。家具、おもちゃ、レコード、衣料品、アクセサリーなど、そ
れぞれに専門があり、私が必ずのぞくのはリネンや古いシーツ、ボタン
などを扱う生地専門店。ていねいにイニシャルの刺繍が施されたピロー
ケースやテーブルナプキンはきっと嫁入り道具だったのでしょう。隣
の店の軒先には、箱に入った大量の絵葉書がどさっとおいてあります。
1枚2ユーロ。どれもフィレンツェに来たツーリストが自分の家族や
友人に送った絵葉書で、表には宛先の住所やメッセージまでしっかり
そのまま残っています。裏面はシニョリーア広場やミケランジェロ広場
など、フィレンツェの観光名所の写真で、どれも今とは違う昔の街並
みでなかなか興味深いのです。手書きのメッセージが書かれた古いフ
ィレンツェの絵葉書を手に取ると、どんな物語があったのかしら？ と
想像が膨らみます。

振替休日がないイタリア

no.172

ヴァカンスが長いというイメージがあるイタリア。でも年間の祝日の
日数はそれほど多くはありません。1年間で16ある日本の祝日にくら
べると、イタリアの国の祝日は12、これに各町の守護聖人の祭日（フィ
レンツェの場合は6月24日、聖ジョヴァンニの祭日〈P.63〉）がひとつ加わ
り合計で13です。何よりの違いは、イタリアでは振替休日がないこ
と。カレンダーで祭日が日曜日に当たったら、それは普段の日曜日と変
わらず、月曜日は仕事や学校に行かなくてはなりません。あいにく、日
曜日が祝日に重なったら、誰も文句をいわず、がっかりしながら仕事
に行きます。このあたりは意外と素直なイタリア人です。1月1日は休み
でも、1月2日は平日なので、すぐに仕事に戻るのがイタリア。お正月は
7日までゆっくり過ごすものと思っていた日本人の私にとって、1月2日
から平常通りに働くというのは、今もなかなか慣れないものですが。

キャベツが表現する気持ち

　冬場に重宝するcavolo（キャベツなどのアブラナ科の野菜の総称）。名前にcavoloがつく野菜には、cavolo cappuccio（キャベツ）、cavolo verza（ちりめんキャベツ）、cavolo broccolo（ブロッコリー）、cavolfiore（カリフラワー）、cavolo nero（黒キャベツ〈P.218〉）などがあります。栄養があって、とってもおいしい野菜なのに、ちょっとぞんざいな扱いを受けていて、いいまわしとして「価値のないもの」、そして同じくcではじまるNGワードのいい換えとして、こんなネガティブないい方で日常会話に登場します。

◎"Non capisco un cavolo."	さっぱりわからない
◎"Non me ne importa un cavolo."	どうでもいいわ
◎"Che cavolo fai ?"	何くだらないことやってんの？
◎"Fatti i cavoli tuoi !"	余計なお世話だ！

トスカーナ大公への手紙

no.174

　ウフィツィ美術館の回廊から西へのびる小さな路地、ランブレテスカ
通りに入ってすぐの右手角に、PER LE SUPPLICHE（嘆願書用）と
書かれた石づくりの投函口があります。これは1580年頃にトスカーナ
大公フランチェスコ1世（コジモ1世の長男）の依頼で、建築家ベルナル
ド・ブオンタレンティ（P.42）によってつくられた嘆願書の投函口です。
このポストを通じて、フィレンツェの住民の誰もが、身分に関係なく、
直接、トスカーナ大公宛ての嘆願書を送ることができたのです。投獄さ
れた夫の無罪を訴える妻、隣人からお金の無心をされる男、助けを求
める住民のさまざまな手紙は大公の手に渡りました。今は閉ざされて
しまった投函口ですが、16世紀に、トスカーナ大公宛ての手紙を自由
に投函でき、大公から直接の返事を受け取ることもあったと思うと、
フランチェスコ1世の発想がいかに斬新であったかを実感します。

東方の三博士がやってくる日 *no.175*

　クリスマスから元日と、年をまたいで続くお祭りを締めくくるのが、1月
6日のEpifania（公現祭）です。東方の三博士が幼児キリストを訪問した
ことにちなんだ祝日で、フィレンツェではCavalcata dei Magiという伝統
行事が行われます。1417年にはじまったこのパレードは、実際にメディチ
家のメンバーが三博士に扮していたことが知られていて、その様子は当
時の画家ベノッツォ・ゴッツォリがメディチ・リッカルディ宮殿内のマギ礼
拝堂にあざやかに描いています。メディチ家がフィレンツェから追放され
た1494年に途絶えた後、1997年に再現されて以来、毎年行われていま
す。馬にまたがった三博士はピッティ宮殿を出発し、街中をパレードした
後、ドゥオーモ前の馬小屋で幼児キリストへ、金、乳香、没薬をうやうや
しく捧げます。きらびやかな衣装を身に着けて颯爽と馬を乗りこなす三
博士の姿は、15世紀のフレスコ画そのものです。

手刺繍の伝統を今に伝えるTAF　　　*no.176*

　ポル・サンタ・マリア通りのTAF（Tovagliati Artistici Firenze）は
1954年に刺繍職人だったルイージ・カペッリーニが開いたテーブル&
ベッドリネンと子ども服の老舗です。手作業で制作される子ども用ド
レスやベッドリネン、テーブルクロスなどは、そのクオリティの高さか
ら、世界各国の王室や映画スターから愛され続けています。純白の洗礼
式用のセレモニードレスはぜいたくな手刺繍が施されていて、溜息が
出るような美しさです。カッペッリーニ本人がデザインしたテーブルリ
ネンの刺繍は、時代を感じさせない普遍的な魅力があります。何世紀
にもわたり門外不出だったフィレンツェの修道院の手刺繍の技術は、
1700年代にトスカーナ大公ピエトロ・レオポルドの命により、外部の
子女も習得できるようになりました。TAFは流行に流されることなく、
大切に伝承されてきた手刺繍の美しさを今に伝える貴重な店です。

フィレンツェを愛した著名人たち　*no.177*

　サンタンブロージョ市場 (P.182) の建物内にある大衆食堂Da Rocco
の紙のランチョンマットは、「あなただったらどこに住んでみたい?」と
いうメッセージとともに、詩人ダンテ、作曲家モーツァルト、画家レオ
ナルド・ダ・ヴィンチなど、大昔から現在までフィレンツェに住んでい
た著名人の住所録が記されています。実はこれ、ユニークな地元の
不動産屋の広告なのです。イギリスのヴィクトリア女王や、俳優ダニエ
ル・デイ・ルイス、作家ドストエフスキーなど、意外な著名人の名前も。
その番地の建物には、滞在した人物の名前と滞在期間を記した大理
石パネルがあるので、このリストを手に街を歩くのも楽しいかも。何百
年も通りの名前や番地が変わらず、古い建物が今も残っているこの街
ならではです。

ブランカッチ礼拝堂の奇跡

　たまに企画展などで海外に貸し出されることもある絵画と違い、フレスコ画は現地でしか鑑賞することができません。イタリア語でaffresco（アッフレスコ）と呼ばれるこの手法はdipingere a fresco（ディピンジュレ ア フレスコ）（〈漆喰が〉生乾きの状態で描く）という表現から派生した言葉で、エトルリア人やローマ人もこのテクニックを使って壁に絵を描いていました。14〜15世紀には教会内の壁に、キリストや聖人の生涯がフレスコ画で描かれるようになります。

　オルトラルノ地区にあるカルミネ教会の右横の小さな入り口から入るブランカッチ礼拝堂には、1424年から1428年頃までと、1480年頃に初期ルネサンスの巨匠マザッチョ、マゾリーノ、そしてフィリッピーノ・リッピが描いたフレスコ画が残されています。合計12の場面に分けられた主題は、アダムとエヴァの「原罪」と「楽園追放」、キリストの奇跡「貢の銭」、そして「聖ペテロの生涯」。よく見ると、15世紀のフィレンツェの街並みや、当時の人々の服装が生き生きと描き込まれ、群衆のなかには、ボッティチェッリやドナテッロ、ブルネッレスキ、フィリッピーノ・リッピ、マゾリーノ、マザッチョなど当時の画家たちの肖像画も混じっています。ほかの人々の表情もそれぞれに特徴があり、当時の実在する人物であったであろうことは明らかです。1771年に教会内で火災が起きたものの、奇跡的にこの礼拝堂の部分は火の手を逃れました。600年の歳月を超えて、現在の私たちの眼前でこれほどあざやかな色彩が広がることが、ひとつの奇跡のように思われます。

映画「眺めのいい部屋」 　　　　　　　　　*no.179*

　かなり前の映画なのに今も心に残っているフィレンツェを舞台に
した作品、それがジェームズ・アイヴォリー監督の「眺めのいい部屋」
（1986年）です。舞台は1900年代初頭、この街を旅行で訪れたイギ
リス人ルーシーが、同じ宿に居合わせたジョージと恋に落ちるという
物語。冒頭シーンのサンタ・クローチェ広場、ひなげしが咲くフィエー
ゾレ郊外の小麦畑、悠々と流れるアルノ川、そしてキリ・テ・カナワが
美しい歌声で歌い上げるプッチーニ作曲のアリア「私のお父さん」。こ
の映画はフィレンツェへの愛にあふれています。アルノ川ビューのある
部屋をめぐってのちょっとした騒動がふたりを引き合わせるのです
が、こうした眺めのいい部屋のある宿は実は探すと結構見つかりま
す。アルノ川やヴェッキオ橋、青空に映えるドゥオーモのクーポラ。ル
ーシーのように朝、起きて窓からこんな風景を眺めたくなります。

「白いパスタ」は病人食

　風邪をひいてしまった冬の日の午後、病み上がりでまだ食欲は完全に戻っていないけれど、少しお腹が空いて何か口に入れたい。そんな時、私は梅干しをのせた白いおかゆが無性に恋しくなります。イタリア人のホームドクターは回復時の食事として mangiare in bianco（ソースなしのパスタかお米）をすすめます。これはゆでたお米やパスタにオリーブオイルとパルメザンチーズをかけたもの。トマトソースが入らないから、イン・ビアンコ（白い）なのです。チーズをたっぷりかけるので、消化にいいかどうかはわかりませんが、この国の人々は、この白いお米やパスタを食べるとホッとするようです。以前、入院した時に、病院食としてマッシュポテトとスープパスタを毎回交互に出された時には、さすがに泣きそうになりました。どんなにイタリア暮らしが長くても、病み上がりは、やっぱりパスタよりお粥が食べたいです。

メルラの日は寒さがきびしい　　　*no.181*

　一年でもっとも寒さがきびしいこの時期、イタリアでは1月29日、30日、31日の3日間をgiorni della merla（メルラの日）と呼びます。メルラ（メルロ）とは黄色い口ばしと真っ黒な体が特徴のクロウタドリというツグミ科の鳥です。メルラの羽は白かったのに、冷たい風を避けて煙突に避難した母鳥と雛たちが煤で真っ黒になってしまったという言い伝えから「メルラの日」が生まれたのだとか。この3日間の寒さがきびしかったら早く春が訪れ、暖かかったら春の訪れが遅いといわれています。以前は数年に一度、フィレンツェの街でも真冬に大雪が降ることがありましたが、近年の温暖化でそれもほとんどなくなりました。それでもこの時期の夜間は零下まで下がり、昼間も5℃前後です。冷たい向かい風が吹くアルノ川沿いを歩くと、つい冬のツグミのように背中を丸くして歩いてしまいます。

色が織りなすフィレンツェの遊び心 *no.182*

　フィレンツェの市内には、マーブル紙でつくったステーショナリーを
売る店がいくつかあります。marmorizzazioneという、紙に大理石を
模したの模様をつけるテクニックはフィレンツェの伝統工芸です。海藻
を煮詰めて溶かした水に数色の絵の具をたらし、道具で水面の絵の
具を引っ掻いて模様を描きます。その上にそっと紙をおき、模様が紙に
移ったらペラリと剥がして出来上がり。一見すると簡単そうに見えます
が、色の組み合わせや水面の絵の具の動かし方によって模様が大きく
変わり、熟練の職人技が求められる唯一無二のアートです。フィレン
ツェでは、昔から本の装丁にはもちろんのこと、木製のタンスや書斎
の引き出しの内張りとしてこのマーブル紙が利用されてきました。重厚
な色あいのアンティークの書斎の引き出しを開けた時、ていねいに貼
られたマーブル紙のあざやかな色彩が目にとび込んでくると、持ち主の
隠れた遊び心が感じられます。

いい賃貸物件は口コミで

　フィレンツェの住民にとって、家探しは常に頭の痛い問題です。年々、家賃は高騰するし、とくに中心部はツーリスト用の短期貸しの物件ばかりで、4年ごとに更新の長期賃貸用物件は激減しています。2023年にはフィレンツェがミラノに次いでイタリアでもっとも家賃が高い街となりました。条件のいいアパートを見つけるには、不動産屋の物件検索サイトよりも断然口コミのほうが効果的で、イタリア人の口コミネットワークの強さを感じます。物件のほとんどが家具つきなので、家具や家電の保存状態がいいこともアパート選びのひとつのポイントです。間に不動産屋が入っていても、賃貸契約を結んだ後は、家主と直接やりとりをすることとなります。家族の思い出が詰まった古い家具や家電を家主が捨てたがらないこともしばしばで、家電の修理や買いかえは、家主との交渉次第なのです。

エマージェンシーは112

　トスカーナで救急車を呼ぶ時は112番をダイヤルします。今までは救急車は118、警察は113または112、消防車は115と番号が分かれていたのですが、2021年からEUの基準に従い、すべての緊急電話が共通のエマージェンシー番号112に統一されました。以前、慌てて電話をかけた時、救急車を呼ぶつもりが、消防署にかけてしまったという経験があります。幸い、そこから直接、救急車を呼んでもらえたけれど、ひとつのエマージェンシー番号に統一されたほうが、覚えやすいですね。電話を受けるオペレーターが判断をし、必要がある署の中央センターに電話をつなぎます。英語でも大丈夫。ちなみにトスカーナでは救急車で病院に運ばれた場合、外国人ツーリストであっても搬送代は完全に無料です。イタリア語で「ヘルプ！」は「Aiuto!」。警察でも救急でも緊急時の対応はとても親切です。

ベジタリアンが急増中

　イタリアでは菜食を選ぶベジタリアンが、若い世代を中心に増えています。理由はそれぞれですが、環境問題への意識が高い彼らのなかには、大規模な畜産が地球温暖化の原因のひとつになっているから肉を食べないとか、動物愛護の精神からベジタリアンになる人が多いようです。この傾向に合わせて、スーパーでもベジタリアン向けのコーナーが充実してきました。Seitanと呼ばれるグルテンミートや、Tofu（日本の豆腐とくらべるとかたくていまいちですが……）はポピュラーな存在で、冷蔵コーナーに必ずあります。イタリアは食材が豊かで季節ごとにバラエティに富んだ野菜が手に入るので、菜食というライフスタイルを選んでも、困ることはなさそうです。レストランやピッツェリアのメニューでも、野菜料理が増えてきました。本屋でずらりと平積みされたベジタリアン向けのレシピ本を見ると、野菜食への人々の関心の高さが伺えます。

ショーペロなんて怖くない

no.186

　イタリアですぐに覚えた言葉がsciopero（ショーペロ）でした。田舎の駅で来るはずの列車が来なくてずっと待っていたら、まわりの人が「ショーペロ！ショーペロ！」と声をかけてくれたのに、その言葉がストという意味だとわかったのは1時間以上待ってからのことでした。多くの人が自家用車で出勤するから、ストの日は道路が大渋滞します。交通機関だけでなく、ストはあらゆる分野で行われます。いちばん困るのはガソリンスタンドのスト。前日には慌てて給油をする車が長蛇の列をつくります。ジャーナリストのストの日は、一日中古い映画やドラマが放送され、ニュースなどの報道番組はありません。1992年には国産たばこメーカーの労働ストで、丸々2か月間、イタリア全国でたばこが店頭から消える事態が起きたそうです。「不便だ」と文句はいうけれど、自らの権利のために意思表示をする労働者たちをリスペクトするのがイタリアです。

美術館が無料な理由は

　メディチ家の最後の末裔であるアンナ・マリア・ルイーザ・デ・メディチが
亡くなったのは1743年2月18日、享年75歳でした。約380年続いたメ
ディチ家が幕を下ろした日。彼女は亡くなる前に、当時すでにトスカー
ナ公国を継承していたオーストリアのロレーヌ家とIl Patto di
Famiglia（イル　パット　ディ　ファミーリア）という契約書を交わします。「トスカーナ大公の相続財産で
ある絵画、彫刻、書物、貴石とそのほかの貴重品は、トスカーナ公国
から持ち出してはいけない。外国人の興味を引き、公共の利益になる
目的で利用されることを条件にこれらをトスカーナ公国に寄付する」
と書かれたこの契約書がなければ、今頃フィレンツェには貴重な芸術
品は残っていなかったでしょう。現在、世界中から多くの人がフィレン
ツェを訪れるのは先見の明があった彼女のお陰。毎年、2月18日の彼女
の命日はすべての市立美術館が入場無料になる日です。

朝の街角で井戸端会議

　まだ客がいないレストランのテラス席を陣取って、シルバー世代の
イタリア人たちが会話を楽しんでいるのは、割と日常茶飯事に見かけ
る風景です。店の人も知らんぷり。客が入りはじめたらちゃんといなく
なるから、暗黙の了解なのでしょう。一体何をそんなに熱心に話して
いるのか？　世界情勢？　政治？　と耳を傾けてみると、実は本当に取
るに足らない話題だったりします。しかも他人の話はあまり聞かずに、
相手が話している間に、自分が次に何をいおうか考えている様子。彼
らにとってはいつものメンバーがそろい、おたがい元気であることを
確かめ合う何気ない大切な時間なのかもしれません。私にとっては、
フィレンツェの日々の暮らしを垣間見るようなひと時です。

古さから生まれる新しい感性　　　*no.189*

　長い歴史のある街ゆえに、古い建造物を容易に取り壊すことができ
ないというジレンマがあるフィレンツェ。だからこそ、古いものを上手に
再利用するセンスが育つのだなあと感心することがよくあります。
1940年に国営たばこ工場として建てられたManifattura Tabacchiも
そんなセンスが光る多目的スペース。近年リノベーションされ、ギャ
ラリー、ショップ、カフェが集まった、フィレンツェでもっともおしゃれな
新スポットのひとつです。工業用エレベーターをブックショップの本棚
やカフェのレセプションスペースとしてそのまま使ったり、漆喰が剥が
れてレンガがちらりと見える壁には、大きな絵画作品やメッセージ
性のあるネオンアートを展示しています。カフェには敷地内のアパレ
ル専門学校の学生たちが集い、活気をもたらしています。古い要素
と新しい要素が出会って生まれた素敵な調和を感じる場所です。

春を呼ぶアイリスの紋章

no.190

　2月のカーニバルの時期、街中のパン屋やお菓子屋のウインドーには、アイリスの紋章がついた長方形のお菓子schiacciata alla fiorentina が並びます。何もはさまないシンプルなものと、クリームを間にはさんだものの2種類があり、共通するのは上面に飾られたフィレンツェの街の紋章であるアイリスです。その場で食べたいと伝えると、四角く切って手渡してくれます。服が粉砂糖まみれになるけれど、これもカーニバルのご愛嬌。ふんわりとした生地にはオレンジの汁と皮が入っているから、食べるとほのかにさわやかなオレンジの香りが漂います。フィレンツェ人がどれほどこのお菓子を楽しみにしているかは、毎年地元情報サイトで発表される「スキアッチャータ・アッラ・フィオレンティーナがおいしい店ランキング」への注目度の高さから伺えます。

Inverna

移動に便利なスクーター

no.191

　イタリアは「バイク天国」と呼ばれるほど、フランスに次いでヨーロッパでもっともスクーターの保有台数が多い国です。朝の通勤時間、フィレンツェの外環道路で渋滞する車を次々とすり抜けていくスクーター。車を運転する側はヒヤヒヤしますが、道がせまく、駐車場の確保もむずかしい街の中心部では、小まわりがきいて駐輪スペースが見つけやすいスクーターは便利な移動手段として広く普及しています。ただし、石畳が残るフィレンツェの街中での運転は道に大きな穴が空いているところがあったり、雨で濡れた石畳は滑りやすいので注意が必要です。でも、さすが自分の街をよく知るフィレンツェっ子たち、街中でもスマートに乗りこなしています。

イタリア人とパペリーノ

　イタリアのどの家の本棚や物置にも、読み終えても大切に残されて
いるコミック誌の「Topolino」があります。トポリーノはイタリア版のミ
ッキーマウス。1932年にフィレンツェの出版社Nerbiniから最初のト
ポリーノ新聞が刊行されました。その後、漫画誌の出版がはじまった
のが1949年で、それから74年間、漫画家は代がわりしたものの、現在
までこのコミック誌はずっと続いています。本のスタイルは刊行当初
から全く変わらず、今も購読されているトポリーノは毎週発行され、子
どもたちに愛されています。複数のイタリア人の漫画家によって描か
れているトポリーノでは、優等生のトポリーノ（ミッキーマウス）よりも、
不器用でトラブルメーカーのパペリーノ（ドナルドダック）のほうが断然
人気があります。イタリア人は、短気で感情の起伏が激しい、でもどこ
か憎めないパペリーノの姿に自らを重ねているのかもしれません。

花のある暮らしとフィレンツェ

　暦の上ではまだ冬。でも毎週木曜日にレプッブリカ広場の中央郵便局前のアーケードで開かれる花市では、ひと足早く春の彩りを求める人が、春先に植える花の苗を吟味しています。フィレンツェ市内の多くの建物にはcortile（コルティーレ）と呼ばれる中庭があり、表通りからは目立ちませんが、そこに面したバルコニーに、人々はハーブや季節の花の鉢植えを飾るのです。高い塀で囲まれた貴族の邸宅でも大きな鉄錠門のなかに入ると、壁の外側からは想像できないような素敵な庭園が広がっていて、彫像が飾られた生垣のあちこちに大きく育てられたバラや藤、モクレンなどが春には花を咲かせます。

　「花の都」と称されることがあるフィレンツェ。元々、ローマ時代にはFlorentia（フロレンティア）、中世にはFiorenza（フィオレンツァ）という名前で呼ばれていました。fiore（花）（フィオーレ）という言葉から派生しているとか、ローマ時代に行われた春の女神フローラを祀る日Floralia（フロラーリア）にこの街が生まれたからという諸説がありますが、実際には、florida（繁栄する）（フローリダ）という意味があり、街が豊かに栄えることを願ってつけられたそうです。それでも、サンドロ・ボッティチェッリやフラ・アンジェリコなどのルネサンスの画家たちが、絵画のなかでフィレンツェに咲く花々を描き残したように、この街と花のイメージは強く結びついています。もうすぐ訪れる春には、今年も庭園や丘陵地でさまざまな花が咲きはじめます。

やっかいな赤の番地と黒の番地 *no.194*

　イタリアではすべての通りや広場に名前がついていて、まずはその名前の場所に行けばたいてい目的地の近くまでたどり着けます。あとはいくつかのルールを理解するだけ。フィレンツェの場合、アルノ川と平行に走る道は川の上流から、川から縦に走る道は川に近い側から順に番号が大きくなり、右側が偶数、左側が奇数という決まりがあります。1809年当時、トスカーナ公国を支配していたフランス人が番地制度を導入し、1930年になるとフィレンツェでは、住宅には黒色の番号、レストランやショップなど商業目的の店舗には赤色の番号がつけられました。赤番号の後にはR(rosso)が記されていることも。この赤番地と黒番地が混在しているのがややこしい。同じ通りの21番地でも、赤字の21番地と黒字の21番地が別の場所を意味し、近くにあるとも限らないので、間違えやすいのです。目的地の住所の番地にRがついていたら、赤い番号だけを順に追っていけば道に迷いにくいですよ。

212
Firenze

むき加減がむずかしいカルチョーフィ
no.195

　ワイン蒸し、フライ、炒めもの、オーブン焼きなど、どんな調理方法で
もおいしくいただけるカルチョーフィ (アーティチョーク) は、全国で食べ
られるポピュラーな野菜です。甘さとともにほどよいえぐ味が後味に残
るこの野菜のおいしさは、ひと言では語れません。冬から春にかけて旬
を迎えるこの野菜の最盛期には、市場の屋台に山積みにされます。茎
ごと調理することもあるので、店の人が葉や茎のかたい部分を切り落と
す時、「茎は長く残しておいてね」と注文しながら買う人が多いです。花
の蕾であるカルチョーフィはまわりのかたい花弁を取りのぞきますが、
むきすぎると食べる部分がなくなってしまうし、花弁を残しすぎるとか
たくて食べられないので、むき加減がなかなかむずかしいのです。むい
たら変色しないようにレモン水に浸けておきます。私がいちばんおいし
いと思う部分は蕾のつけ根。丁度いい歯ごたえで、ほんのりと甘いこの
部分はとっておきの最後のひと口です。

213

Inverno

ダイナミックなごみ収集スタイル *no.196*

　フィレンツェの街の中心部には、ゴミ箱ステーションが何か所かあります。ずらりと並んでいるグレーのゴミ箱はカッソネットと呼びます。それぞれの蓋に、入れるゴミの種類の絵が描いてあるのでとてもわかりやすく、曜日や時間は関係なく、好きな時にゴミを捨てられます。ガラス以外のゴミの分別はペットボトルやプラスチック容器類、生ゴミ、紙ゴミ、雑ゴミの4種類。箱自体は小さいのに、巨大なゴミ袋が次から次へとどんどん入るのは、まるでマジックショーです。それもそのはず、実は地下に箱の大きさの何倍も大きい四角い容器が埋まっているのです。収集車がクレーンで上からゴミ箱のてっぺんをつまんで持ち上げると、ずるりと地下に埋まっている四角い収集スペースごと持ち上がり、荷台の上で箱の底が抜けて、中身がざざっと落ちるシステムです。それはダイナミックでなかなかユニークな街角の光景です。

フィレンツェの緑のオアシス

　街の西側、アルノ川沿いにのびる全長3.5kmのカッシーネ公園は一年
を通じてフィレンツェ市民の憩いの場です。メディチ家のコジモ1世が
酪農と狩猟の目的でつくらせた公園で、1800年代から公共の公園
となりました。川沿いに朝市が立つ毎週火曜日は買いもの客でにぎわ
いますが、それ以外の日はとても静かで、多くの市民がここで散歩
やジョギング、スポーツを楽しんでいます。意外と知られていないの
ですが、公園内にあるRoller Clubというローラースケートクラブでは
園内の事務所でスケート靴や自転車をレンタルすることができます
（火曜日から日曜日）。緑豊かで広々とした並木道をローラースケート
で滑走するのはきっと爽快な気分でしょう。屋外プール併設のレスト
ランLe Pavoniere もあり、プールサイドでランチを楽しむのもいいでしょ
う。サンタ・マリア・ノヴェッラ駅からはトラムT1線で2駅です。

イタリアのペット事情

　街角で飼い主と行儀よく散歩をしている柴犬に出会うと、懐かしい気分になります。巻いた尻尾とキリッとした顔立ちのShibaは愛好家の間で大人気です。ペットの売買に対してきびしい規則があるイタリアでは、純血種の犬や猫はブリーダーをネットで探して直接、購入することがほとんどです。一方、ペットの飼育放棄は社会問題で、とくに南イタリアの保護施設は常に飽和状態です。最近では多くのボランティアグループが、南イタリアから北へ保護犬を運ぶ活動を活発に行っています。SNSを介して南の保護犬と北の里親をマッチングさせ、受け入れ先が決まった保護犬をトラックや列車で運送することを staffetta（たすきリレー）と呼び、たまに、高速道路のサービスエリアで運転手が犬を受け入れ先のファミリーに手渡しする光景に遭遇します。受け入れ方はそれぞれですが、ペットは家族という気持ちは変わりません。

パスクワの前はお菓子も控え目に

　カーニバルが終わり、これからパスクワ（復活祭）までの40日間は、キリストが荒野で過ごした日々を想いながら摂食節制に務める期間（クワレジマ）です。自分が好きなものを我慢するという決まりで、お肉を控えたり、禁酒をしたり、大騒ぎをするイベントも自粛します。本来であれば、お菓子も控えるべきなのでしょうが、お菓子好きなイタリア人にそんなことができる訳がなく、バターや卵黄などを使わないクワレジマの期間だけにつくられるquaresimali（クワレジマーリ）という素朴なビスケットを発明してしまうあたり、おいしいもの好きなイタリア人らしいです。なぜ、アルファベットの形でつくられるのか、はっきりとした説はありませんが、1900年代初頭にフィレンツェとプラートの間のある修道院でつくられはじめたといわれています。パン屋やお菓子屋でクワレジマーレが売られはじめたら、パスクワが近づいている印です。

春の前触れは黒キャベツの新芽　　*no.200*

　寒さがきびしい2月ですが、朝市には少しずつ春の気配が訪れて
います。大雑把にバサッと盛られているサラダ用のベビーリーフのミック
スに、黒キャベツの新芽が混ぜてあることも。

　トスカーナケールとも呼ばれる黒キャベツはトスカーナ特産のキャ
ベツで、長い大きな葉は郷土料理には欠かせない食材です。黒キャ
ベツを使った代表的なトスカーナ料理は、豆のスープribollita^{リボッリータ}と、
トーストしたパンにゆでた黒キャベツを汁ごとのせてオリーブオイル
をたっぷりかけたfettunta^{フェットゥンタ}。成長した黒キャベツの葉は芯を取りの
ぞいてもかたいので、かなり時間をかけてゆっくりとゆでます。一方、
立春のあたりには、冬越しした黒キャベツに新芽が出はじめ、とても
やわらかいので生でサラダに混ぜて食べられます。噛むと、ほんのり
苦く甘みもあり、春の訪れを予感させてくれます。

Inverno

フィレンツェの自転車事情

　一方通行が多く、駐車スペースが足りないフィレンツェの中心部を車で移動するのはとても不便。かといって街の西側から東側の端っこまで素早く移動したい時、徒歩では時間がかかり過ぎます。そんな時に役に立つのが自転車。坂道がなく、自転車レーンが設置されているので便利な移動手段です。ただし自転車の盗難が日常茶飯事なので、みんな、わざと使い込んだボロボロの自転車に乗り、停める時は頑丈なチェーンを何重にも巻いて施錠します。わざわざサドルを取りはずして持ち歩く人もいます。子どもの学校の送り迎えも自転車。素敵なファーのコートを着た上品なマダムがハイヒール姿で使い込んだ自転車をこぐ姿は、どこかフィレンツェらしさを感じさせます。

街が丸ごと世界遺産　　　*no.202*

　世界中を旅行してどれほど素晴らしい風景を見たとしても、心の奥
では自分の街が世界でいちばん美しいと思うのがフィレンツェ人で
す。確かに、小高い場所から、ゆったりと流れるアルノ川に沿って広が
るフィレンツェの街を見下ろすと、私もその唯一無二の眺めに心を打
たれます。ドゥオーモやヴェッキオ宮殿以外に大きな建物がないの
で、余計に歴史的建造物の迫力を感じるのかもしれません。ユネスコ
の世界遺産に登録されているチェントロ・ストーリコ（歴史地区）を何
百年間も保存することは容易ではありませんが、ルネサンス期の政治
思想家のニッコロ・マキャヴェッリが友人に宛てた手紙のなかで「こ
の窓から見える風景を次の世代にそのまま姿で託すことが我々の義務
なのだ」と書いている通り、古い街並みが変わらずに残ったのは、単なる
偶然ではなく、昔からきびしい規制を設け、街の景観を守ってきたフィ
レンツェ人のお陰であると思うのです。

Primavera 春

Estate 夏

Autunno 秋

Inverno 冬

奥村千穂
Chiho Okumura
現地アパートの紹介サイトLA CASA
MIAでフィレンツェの滞在型の旅を提案
している。ブログ「フィレンツェ田舎生活
便り2」でイタリア暮らしについて綴る。
https://www.lacasamia.jp
https://lacasamia2.exblog.jp

向井真理子
Mariko Mukai
フィレンツェでのアクティビティ、イタリア
語学留学、通訳・コーディネートなどのビ
ジネスサポートを行うFIRENZE PLUS
を運営。カメラマンとしても活動中。
https://www.firenzeplus.com

季節で綴るフィレンツェ202

世界でいちばん美しい街の愛おしい毎日、
とっておきの場所

文	奥村千穂
写真	向井真理子

デザイン	塚田佳奈（ME&MIRACO）
マップ	ZOUKOUBOU
編集	鈴木利枝子

2023年9月25日　初版発行

発行者　　　山手章弘
発行所　　　イカロス出版株式会社
　　　　　　〒101-0051　東京都千代田区神田神保町1-105
　　　　　　電話　03-6837-4661（出版営業部）
　　　　　　メール　tabinohint@ikaros.co.jp（編集部）

印刷・製本所 株式会社シナノパブリッシングプレス